FERRARI

La légende

VPL 482M

FERRARI

La légende

Mark Konig

PAGE 1 : *Bouchon de réservoir de carburant de Ferrari F40.*
PAGE 2 : *Dino 246 GTS; ce modèle fourni par Maranello Concessionnaires, est doté de carénages de phares en Plexiglas et d'une barre chromée non conformes à la dotation de série.*
PAGE 3 : *La 365 GTC/4, à la livrée rouge inhabituelle, est trop souvent sous-estimée.*

Adaptation française : Nicolas Blot
Coordination éditoriale : Philippe Brunet

ISBN : 2-87677-373-2
Dépôt légal : 3e trimestre 1999

Composition et mise en pages : PHB, Paris
Imprimé en Italie

Crédits photographiques :

Toutes les photographies sont la propriété de **Neill Bruce Motoring Photolibrary**, à l'exception des suivantes :
(abréviations : d = droite, g = gauche, h = haut, b = bas)

Peter Roberts Collection © Neill Bruce : 7(*h*), 7(*b*), 77(*b*).

Keith Bluemel : 15(*h*), 15(*b*), 22, 24(*h*), 24-25(*b*), 28, 29, 41(*b*), 43(*b*), 45(*b*).

Neill Bruce et l'éditeur souhaitent remercier les nombreux propriétaires qui ont mis leurs automobiles à la disposition des photographes, et notamment les sociétés et particuliers dont les noms suivent :

Brooks Auctioneers : 250 Tour de France bleue, 410 Superamerica; 250 GT/E 2+2; 250 GT Lusso et 330 GT 2+2.

Duncan Hamilton Ltd : 275 GTB «nez long», 250 GT California et 365 GTC/4.

Moto Technique Ltd : 365 GT 2+2.

Un grand merci au **comte de March**, pour le merveilleux Festival de la vitesse de Goodwood.

L'auteur adresse des remerciements particuliers à Alan Mapp, de Maranello Concessionnaires Ltd, qui a passé de longues journées à placer les voitures dans la bonne position dans les années 1970 et 1980; au restaurant Great Fosters d'Egham, qui autorise depuis plus de vingt ans le travail du photographe sur sa propriété; à Adrian Hall enfin, qui a mis à ma disposition son beau domaine et m'a laissé photographier sa Dino et sa Daytona.

Sommaire

Introduction 6

Ferrari 166 et *195 Inter* 8

Ferrari 212 Inter 10

Ferrari 340, 342A, 375 et *250 Europa* 12

Ferrari 250 MM, 250 Europa GT et *250 GT* 14

Ferrari 250 GT Tour de France et *California* 16

Ferrari 410 Superamerica 20

Ferrari 250 GT PF Coupé et *Cabriolet* 22

Ferrari 250 GT et *250 GT California* 24

Ferrari 250 GTE 2+2 et *330 America* 26

Ferrari 400 Superamerica 28

Ferrari 250 GT Berlinetta Lusso 30

Ferrari 330 GT 2+2 32

Ferrari 275 GTB et *275 GTS* 34

Ferrari 275 GTB/4 et *Spider « NART »* 38

Ferrari 330, 365 GTC et *GTS* 40

Ferrari 500 Superfast et *365 California* 42

Ferrari Dino 206 GT, 246 GT et *GTS* 44

Ferrari 365 GT 2+2 46

Ferrari 365 GTB/4 48

Ferrari 365 GTC/4 50

Ferrari 365 GT4 2+2, 400, 400i et *412* 52

Ferrari 365 GT4BB, BB 512 et *BB 512i* 56

Ferrari Dino 308 GT4 2+2 58

Ferrari 308 GTB/GTS, Quattrovalvole et *328* 60

Ferrari Mondial 8, QV, 3.2 et *Mondial t* 62

Ferrari 288 GTO et *Evoluzione* 64

Ferrari Testarossa, 512 TR et *F 512 M* 66

Ferrari F40 70

Ferrari 348 tb/ts, GTB/S et *Spider* 72

Ferrari F355 Berlinetta, Spider et *GTS* 74

Ferrari 456 GT 2+2 76

Ferrari F50 78

Glossaire/Index 80

Introduction

Enzo Ferrari meurt en 1988. Avec lui disparaît l'un des hommes les plus célèbres du monde. Cette renommée, supérieure à celle des hommes politiques et des stars, est née de ses automobiles, que tous aspirent à posséder mais que bien peu peuvent s'offrir. Pour certains, Enzo était un «agitateur d'hommes», poussant ses ingénieurs à concevoir des voitures toujours plus rapides et incitant les conducteurs à s'affranchir de toutes limites. Si dans les Salons de l'automobile, les stands Ferrari se passent d'hôtesses aux formes voluptueuses, c'est que les modèles de la marque n'en ont nul besoin. Les foules s'assemblent pour s'ébaubir devant une Ferrari garée contre un trottoir, les foules se pressent contre les barrières dans les Salons, les *tifosi* s'amassent dans les tribunes pour acclamer leurs héros – car pour eux Ferrari est une religion.

Le *dottore ingeniere* Enzo Anselmo Ferrari est né en 1898 à Modène. L'un des premiers métiers exercés par ce fils d'ouvrier de la métallurgie est celui de journaliste sportif, au sein de la rédaction de *La Gazzetta dello Sport*. De santé fragile, il est pendant la Grande Guerre maréchal-ferrant dans un régiment d'artillerie. La paix revenue, une obsession pour l'automobile s'empare de lui. Tout en travaillant à Milan pour la CMN (Construzione Mecchanicale Nazionale), il participe à ses premières courses. Bientôt, il entre chez Alfa Romeo en tant que pilote d'essais. En 1920, il s'adjuge une mémorable deuxième place à la Targa Florio. De 1930 à 1938, les Alfa d'usine courent sous la bannière de la Scuderia Ferrari, avec succès. La 815, voiture de sport construite par Auto Avio Construzione (société de Ferrari, gérée à partir du siège de la Scuderia à Modène), fait son apparition avant que la Seconde Guerre mondiale ne mette les compétitions automobiles sous le boisseau. Pendant la guerre, Ferrari s'installe au village de Maranello, à quelques kilomètres de Modène, mais ne parvient pas à échapper aux bombes alliées. En 1946, Ferrari engage Gioachino Colombo. Ensemble, ils réalisent le rêve d'Enzo : en 1947, la première Ferrari de course à moteur V12 prend la piste. La 166, première routière de la marque, fait son entrée en scène en 1948. Elle est animée par un V12 de 2 litres. Depuis lors, les Ferrari de route sont très recherchées, pour leurs performances époustouflantes, pour leurs lignes sensuelles autant que pour leur pedigree sportif.

CI-CONTRE : *Enzo Ferrari, à l'extrême gauche, en 1973 au bord du circuit de Fiorano à Maranello ; il est en compagnie des importateurs Ferrari au Royaume-Uni, le colonel Ronnie Hoare* (au premier plan) *et Shaun Bealey* (à droite), *ainsi que du chargé de relations avec la presse Franco Gozzi.*

CI-CONTRE : *L'avenir de l'automobile incarné en août 1923 à Monza – de gauche à droite, Giorgio Rimini, Nicola Romeo et Enzo Ferrari.*

CI-DESSOUS : *En Sicile, en 1920, avant le départ de la Targa Florio. Enzo Ferrari est au volant de son Alfa Romeo* (au centre). *Il finira deuxième.*

Ferrari 166 et *195 Inter*

Les premières voitures commercialisées par Ferrari en vue d'un usage routier sont directement issues de la compétition. La 166 à moteur V12 2 litres dérive de la 125, première V12 produite dans la nouvelle usine Ferrari de Maranello. Le douze-cylindres simple arbre culbuté de la 166 est ouvert à 60 degrés. Les arbres à cames sont entraînés par chaîne, le vilebrequin est à sept paliers. Les principales pièces moulées sont en aluminium. La première 166 Inter, présentée au Salon de Turin 1948, est un coupé deux-portes carrossé par Touring.

En mai 1948, la berlinetta Ferrari 166 carrossée par Allemano donne à Clemente Biondetti sa quatrième victoire aux Mille Miglia (Mille Miles), qui est aussi la première de Ferrari. Enzo a grandi au rythme des grandes courses sur route européennes : l'un de ses titres de gloire est une deuxième place à la Targa Florio 1920 – cette épreuve de rêve se dispute sur 72 km de petites routes sinueuses à souhait, dans les montagnes et sur les côtes de Sicile. La nouvelle usine Ferrari va mobiliser tous ses efforts afin de remporter des épreuves de ce type. De 1948 à 1957, date à laquelle l'organisation des Mille Miles prend brutalement fin, Ferrari remportera huit fois cette course. Aux Mille Miglia 1950, c'est vêtu d'un costume bleu immaculé que Giannino Marzotto, alors âgé de 22 ans, mène la 195S à la victoire. Trois frères de Giannino (membres de la famille Marzotto, propriétaire d'une firme de textiles) pilotent eux aussi des Ferrari dans cette épreuve !

Le châssis de la 166 présentée à Turin en 1948 a été construit par GILCO et mis au point par Gilberto Colombo (sans lien de parenté avec le concepteur du moteur Ferrari) en association avec Ferrari. Les deux longerons en tubes d'acier de section ovale se relèvent à l'arrière au-dessus de l'essieu. À l'avant, la suspension à roues indépendantes fait appel à un ressort à lames transversal. Elle comporte des amortisseurs hydrauliques Houdaille. Le

CI-DESSOUS : *La Ferrari 166 Inter, habillée avec une certaine lourdeur par la Carrozzeria Touring. Rares sont les Ferrari pourvues de ce type de roues en acier.*

volant est à droite ; la direction est à vis sans fin, avec deux petites barres d'accouplement. À l'arrière, l'essieu rigide est suspendu sur des ressorts semi-elliptiques. La boîte de vitesses à carter en alu est à cinq rapports. Les roues à voile plein Borrani comportent une jante et un enjoliveur en alliage (sur lequel est inscrit le nom de Ferrari).

Aujourd'hui pas plus qu'hier Ferrari ne produit de carrosseries à Maranello : cette tâche revient aux ateliers Scaglietti de Modène (qui appartiennent aujourd'hui à Ferrari) et Pininfarina de Turin (Pinin Farina est l'homme qui a donné son nom à la firme devenue Pininfarina – en un seul mot – à la fin des années 1950). Les carrosseries des 166 et 195 ont été réalisées par de grands spécialistes, dont Touring, Vignale, Ghia, Bertone et Allemano, tous installés alors dans le nord industriel de l'Italie (certains le sont encore).

À la fin des années 1950 apparaît la 195 Inter, version routière de la V12 de 2,3 litres qui s'est illustrée en course aux mains de Marzotto et d'autres. Équipée d'un carburateur Weber 36DCF, dotée d'un taux de compression de 7,5 : 1, la 195 développe 25 ch de plus que la Ferrari 166.

Production	Dates	Unités
166 Inter	1948-1950	36
195 Inter	1950-1952	27

CARACTÉRISTIQUES	166 INTER	195 INTER
MOTEUR	V12 à 60°, 1 995 cm³	V12 à 60°, 2 340 cm³
PUISSANCE	105 ch à 6 000 tr/min	130 ch à 6 000 tr/min
TRANSMISSION	Boîte manuelle à 5 rapports	Boîte manuelle à 5 rapports
CHÂSSIS	Acier tubulaire	Acier tubulaire
SUSPENSION	AV à roues indépendantes, AR essieu rigide (166 et 195)	
FREINS	À tambours	À tambours
VITESSE MAXIMUM	193 km/h	200 km/h
ACCÉLÉRATION	0-100 km/h : 10 s	NC
	0-160 km/h : 25 s	NC

Ci-dessous : *Une 195 Inter, également carrossée par Touring.*

Ci-dessus : *L'habitacle sans fioritures de la 166 Inter.*

Ferrari 212 Inter

Pour ce modèle, le V12 Colombo est de nouveau suralésé, ce qui donne 212 cm³ par cylindre, soit une cylindrée totale de 2,6 litres. Moins de 100 Ferrari 212 Inter seront construites entre la présentation au Salon de Bruxelles 1951 et l'arrêt de la production en 1953. Ferrari étant un constructeur de voitures de course, les modèles routiers sont réalisés sur commande. Le châssis de la 212 est habillé par plusieurs carrossiers italiens, de sorte qu'il y a très peu de séries de voitures identiques.

Les modèles Vignale, d'aspect très sportif, seront fréquemment employés en compétition, alors même qu'il existe une version conçue spécifiquement pour la course : la 212 Export. Ces premières Ferrari sont presque toujours dotées d'un volant à droite, car sur circuit les virages sont le plus souvent à droite (le pilote préfère être installé à l'intérieur de la courbe). La 212 Inter est habillée en coupé, en cabriolet et en spider. Pinin Farina va produire près d'une vingtaine de coupés 212 à l'allure traditionnelle. Ce sera là le début d'une longue relation entre les deux firmes. La première Ferrari carrossée par Pinin Farina est un cabriolet 212 (châssis n° 0177E), d'aspect imposant, qui se signale par sa calandre chromée, ses larges pare-chocs (chromés eux aussi) et ses deux prises d'air sur le capot.

Ghia habille aussi des Ferrari 212 Inter, et notamment un élégant coupé 2+2 pour le Salon de Turin 1952. Touring a conçu de belles carrosseries pour la 166 et la 195, mais à l'arrivée de la 212 les liens que ce carrossier entretient avec Ferrari ont commencé à se distendre. La 212 Touring la plus connue est un coupé « Aerlux », avec panneau de toit vitré (et pare-brise en deux parties). L'intérieur d'une Ferrari 212 se caractérise par son tableau de bord que dominent deux gros cadrans analogiques : celui de gauche donne la vitesse, le kilométrage parcouru, la pression d'huile et le niveau d'essence; celui de droite comprend compte-tours, horloge et témoin de température d'eau. Les branches du volant sont en alliage, la jante en bois (souvent incrustée d'un autre bois de couleur contrastée). Le moyeu de ce volant, en corne jaune, s'orne du célèbre cheval cabré de couleur noire.

La première 212 possède une suspension arrière inhabituelle, comprenant deux ressorts à lames semi-elliptiques de chaque côté et trois joints universels; ce système laissera bientôt place à l'excellent système composé d'un simple ressort à lames avec barres de réaction supérieure et inférieure de chaque côté. Le châssis est construit par Gilberto Colombo à Milan, en tubes d'acier ovales de forte section. La

CI-CONTRE : *Ferrari 212 Export (châssis n° 0111S) carrossée par Vignale.*

CARACTÉRISTIQUES	212 INTER
MOTEUR	V12 à 60°, 2562 cm³
PUISSANCE	150/170 ch à 6500 tr/min
TRANSMISSION	Boîte manuelle à 5 rapports
CHÂSSIS	Acier tubulaire
SUSPENSION	AV à roues indépendantes, AR essieu rigide
FREINS	À tambours
VITESSE MAXIMUM	199 km/h
ACCÉLÉRATION	0-100 km/h : 7,5 s
	0-160 km/h : 18 s

suspension avant à roues indépendantes fait appel à un ressort à lames avec barres de réaction supérieure et inférieure de chaque côté. À l'avant comme à l'arrière, les amortisseurs sont des Houdaille à levier. La direction, non assistée, est à engrenage à vis sans fin.

Toutes les 212 Inter sont animées par le V12 Colombo, initialement alimenté par un unique carburateur Weber, développant 150 ch à 6 500 tr/min. Ce moteur semble long et bas, et pourtant la hauteur entre collecteur d'admission et sommet de la trompette de carbu impose une ligne de capot plutôt haute. Les versions ultérieures de la 212 Inter recevront trois Weber, pour une puissance de 170 ch à 6 500 tr/min. Les deux versions sont pourvues d'une boîte 5 vitesses. Il est intéressant de noter que la brochure fournie par l'usine en 1952 crédite la 212 d'une consommation d'essence d'environ 15 l/100 km.

Fait d'arme majeur de la 212 : à la Carrera Panamericana 1951, les équipages Chinetti/Taruffi et Ascari/Villoresi terminent aux deux premières places, au volant de voitures d'usine SEFAC engagées par le Centro Deportivo Italiano. C'est là un joli coup publicitaire dans l'optique d'une commercialisation sur le riche marché nord-américain, l'importateur étant Luigi Chinetti en personne…

Production	Dates	Unités
212 Inter	1951-1953	80

CI-CONTRE : *L'habitacle d'une 212 Export « Vignale », où se marient bois, aluminium et cuir cousu main.* CI-DESSOUS : *Cette 212 Export arbore les feux arrière si particuliers qu'affectionne Vignale.*

Ferrari 340, 342 A, 375 et *250 Europa*

Aurelio Lampredi est le père du deuxième V12 Ferrari destiné aux voitures de formule 1 de 1950-1951. Il s'agit du V12 « long bloc », dont la cylindrée atteindra 4 493 cm³ et la puissance 380 ch à 7 500 tr/min. Au cours de l'évolution de ce moteur, une version 4 101 cm³ est produite, dont découle directement le groupe propulseur de la voiture de sport. La plupart des 340 seront des voitures de course, mais huit d'entre elles seront conçues et construites pour un usage routier.

Comme il est de coutume dans les années 1950, plusieurs carrossiers habillent le châssis, dont Touring, Vignale et Ghia. Extérieurement, plusieurs caractéristiques distinguent le moteur Lampredi du V12 Colombo (sept goujons et non six pour maintenir le bord inférieur du couvre-culasse, diverses conduites d'eau et d'huile à l'avant du bloc...). Les 340 de route sont habillées d'une carrosserie « civilisée », mais châssis et moteur sont très comparables à ceux des modèles de compétition. Les rapports de la boîte 5 vitesses ne sont pas synchronisés. La 340 America qui remporte les Mille Miglia 1951 est habillée en coupé par Vignale et pilotée par Luigi Villoresi. C'est une belle période de transition pour Ferrari ; voitures de route et de course sont très proches les unes des autres, et d'ailleurs construites sur la même chaîne d'assemblage. En règle générale, les Ferrari de course portent un numéro de châssis pair, les modèles de route un numéro impair (il en ira ainsi jusqu'en 1988). On note des exceptions toutefois : les 340 et 342 portent toutes des numéros pairs. L'une des plus belles 340 de route était un cabriolet construit par Vignale (châssis n° 0138A), malheureusement démantelé au début des années 1990 par son propriétaire, lord Brocket, dans le cadre d'une escroquerie à l'assurance...

La nouvelle 342 est annoncée en janvier 1951, au Salon de Bruxelles. Version routière, plus raffinée, de la 340, elle conserve la même cylindrée mais perd 20 ch ; l'empattement est allongé, la boîte perd un rapport mais gagne la synchronisation. Seules six 342 seront réalisées. Pinin Farina est désormais le carrossier préféré de Ferrari : il construit trois coupés et deux cabriolets (la sixième 342 est un cabriolet Vignale).

CI-CONTRE : *La 340 America (châssis n° 0082) victorieuse aux Mille Miglia 1951, ici à Goodwood en 1994.*

CARACTÉRISTIQUES	340 A	342 A	375 A	250 EUROPA
MOTEUR	V12, 4101 cm^3	V12, 4101 cm^3	V12, 4523 cm^3	V12, 2963 cm^3
PUISSANCE	220 ch à 6000 tr/min	200 ch à 5000 tr/min	300 ch à 6300 tr/min	200 ch à 6000 tr/min
TRANSMISSION	Boîte manuelle à 5 rapports	Boîte manuelle à 4 rapports *(sur ces trois voitures)*		
CHÂSSIS	Acier tubulaire	Acier tubulaire	Acier tubulaire	Acier tubulaire
SUSPENSION	AV à roues indépendantes, AR essieu rigide *(tous modèles)*			
FREINS	À tambours	À tambours	À tambours	À tambours
VITESSE MAXIMUM	241 km/h	241 km/h	249 km/h	217 km/h
ACCÉLÉRATION	NC	NC	NC	NC

La 375, qui remplace la 342, fait ses débuts au Salon de Paris 1953, tout comme la nouvelle 250 Europa animée par la plus petite version du moteur Lampredi. Toutes deux reposent sur un châssis de 2,80 m, inutilement long pour le 3 litres mais adopté par souci de rationalisation. L'imposante 375 est destinée aux grands de ce monde. Pinin Farina en habille la majorité en coupés, mais le cabriolet 375 construit par Ferrari pour le roi des Belges Léopold figure parmi les automobiles les plus désirables de l'histoire. Parmi les possesseurs de 375 figurent le patron de Fiat Giovanni Agnelli et le grand cinéaste Roberto Rossellini.

La 250 Europa, en revanche, ne fera pas carrière. Son châssis est trop lourd pour le 3 litres, lui-même trop gros par rapport à sa cylindrée. À l'avenir, les moteurs de cette taille seront des évolutions du V12 Colombo.

Production	Dates	Unités
340 A	1951-1952	8
342 A	1952-1953	6
375 A	1953-1954	12
250 Europa	1953-1954	20 env.

CI-CONTRE : *L'habitacle de la 340 America (châssis n° 0082) ; admirez le volant et le pommeau du levier de vitesses.*
CI-DESSOUS : *À Goodwood toujours, le coupé Vignale fait étalage de sa classe.*

Ferrari 250 MM, 250 Europa GT et *250 GT*

Après l'intermède 212 et 250 Europa, la voie est ouverte pour le V12 Colombo de 2953 cm³, qui se montre à la hauteur des espoirs placés en lui. Giovanni Bracco remporte les Mille Miglia 1952 au volant d'un prototype 250, dont c'est la première sortie ! La plupart des exemplaires de cette voiture seront des modèles de course, mais deux au moins, baptisés 250 MM, seront construits pour un usage routier. La MM possède un châssis tubulaire en acier, une suspension avant à roues indépendantes avec ressort à lames transversal et amortisseurs Houdaille à levier. L'essieu arrière est rigide, suspendu par des ressorts semi-elliptiques. Trois carburateurs Weber 36 IF 4C contribuent à donner une puissance de 240 ch à 7200 tr/min. La 250 Europa GT apparaît au Salon de Paris 1954. Sa carrosserie, dessinée par Pinin Farina, est une évolution de celle de la 250 Europa. Il s'agit cependant d'une nouvelle voiture, dotée d'un nouveau châssis et du V12 Colombo 3 litres. L'empattement raccourci (2,60 m) et la suspension arrière modifiée (longerons au-dessus du pont arrière) améliorent la maniabilité et le comportement routier, bien que la suspension avant ait conservé son ressort à lames transversal. Vignale habille au moins une 250 Europa GT d'une carrosserie de coupé reprenant le pare-brise de la Chevrolet Corvette. Cet exemplaire est construit pour la princesse Liliane de Réthy, ferrariste convaincue. Le 3 litres Colombo développe 220 ch à 7000 tr/min, ce qui suffit pour propulser l'Europa GT à 225 km/h. L'empattement plus court, le poids réduit et les lignes affinées de la Ferrari (Europa) GT vont jouer un rôle fondateur dans l'attrait exercé par la marque dans le monde entier, non seulement sur ceux qui peuvent s'offrir de telles automobiles, mais aussi sur le grand public qui peut seulement en rêver.

Pinin Farina continue de travailler les formes de la 250 ; c'est au Salon de Genève 1956 qu'est présentée la nouvelle 250 GT. La fabrication de la carrosserie est effectuée en sous-traitance par Boano, qui construit aussi un cabriolet sur le même châssis. En règle générale, quand une Ferrari dessinée par Pinin Farina est assemblée par un autre carrossier, l'insigne du concepteur figure sur les voitures, mais certains exemplaires portant l'emblème de Boano seront produits. Il en ira de même quand Boano et son gendre Ezio Ellena fusionneront leurs activités sous le nom de Boano-Ellena. Dans l'intervalle, les améliorations mécaniques vont se multiplier.

On est surpris aujourd'hui du caractère peu luxueux des Ferrari 250. Tableau de bord peint, moquette ultramince et malle dépourvue de garniture séduisent les clients sportifs, qui se soucient avant tout de performances. Le châssis, toujours en tubes d'acier de section ovale, dispose désormais d'une suspension avant à ressorts hélicoïdaux, et l'essieu arrière est guidé par deux paires de barres de réaction. Dans la brochure commerciale d'origine,

CI-CONTRE : *Ferrari 250 MM (châssis n° 0340).*

CARACTÉRISTIQUES	250 MM	250 EUROPA GT	250 GT
MOTEUR	VV12, 2953 cm³	V12, 2953 cm³	V12, 2953 cm³
PUISSANCE	240 ch à 7200 tr/min	220 ch à 7000 tr/min	240 ch à 7000 tr/min
TRANSMISSION	Boîte manuelle à 4 rapports	Boîte manuelle à 4 rapports	Boîte manuelle à 4 rapports
CHÂSSIS	Acier tubulaire	Acier tubulaire	Acier tubulaire
SUSPENSION	AV à roues indépendantes, AR essieu rigide *(tous modèles)*		
FREINS	À tambours	À tambours	À tambours
VITESSE MAXIMUM	254 km/h	225 km/h	209 km/h
ACCÉLÉRATION	0-100 km/h : NC	6,2 s	6,3 s
	0-160 km/h : NC	15,5 s	15 s

Production	Dates	Unités
250 MM	1953-1954	2 routières
250 Europa GT	1954-1955	35
250 GT	1956-1958	130 environ

cinq rapports au pont différents sont proposés, le plus long permettant une vitesse maximale de 253 km/h à 7000 tr/min (cette prétention semble exagérée, même avec 240 ch sous le pied) ; les accélérations revendiquées par le tableau joint ont été établies avec le rapport le plus court, donnant une vitesse de pointe de 203 km/h. Derrière les sièges tendus de cuir se trouve une plate-forme munie de sangles destinées à retenir les bagages. Les roues à rayons Borrani de 16 pouces sont chaussées de pneus de 6 pouces de large.

Le Salon de Turin 1958 est marqué par la présentation du coupé 250 GT « Ellena » définitif, dépourvu de vitre de custode mais à la ligne de pavillon rehaussée pour un accès et une visibilité améliorés. Les modèles Boano et Ellena sont sans aucun doute les premières Ferrari « de série ». La plupart de ces voitures sont presque identiques (50 d'entre elles, sur environ 130, seront construites par Ellena). Bien qu'elles n'aient pas été conçues pour la compétition, elles accompliront plusieurs prouesses notables, avec notamment une victoire au rallye de l'Acropole 1957, aux mains de Jean Estager.

Les améliorations mécaniques apportées en 1957 comprennent l'adoption de freins plus gros et d'un nouveau boîtier de direction dû à la société allemande ZF. Si les réalisations de Boano et Ellena constituent une « série », ce châssis est aussi habillé par Pinin Farina de plusieurs carrosseries de type cabriolet. Parmi les clients vont figurer le pilote d'usine Ferrari Peter Collins, le gentleman-driver Porfirio Rubirosa, le comte Volpi et le prince Aga Khan.

CI-DESSUS : *Ferrari 250 GT Boano (châssis n° 0533 GT).*
CI-DESSOUS : *Ferrari 250 GT Europa (châssis n° 0399 GT).*

Ferrari 250 GT Tour de France et *California*

Au milieu des années 1950, la catégorie Grand Tourisme se fait très compétitive. Le coupé Mercedes 300 SL, diverses Jaguar, Lancia, Alfa Romeo et Aston Martin rivalisent avec Ferrari pour décrocher des lauriers dans une classe de voitures qui deviennent si performantes qu'elles se placent souvent fort bien au classement général des grandes courses auxquelles elles participent.

La berlinette Ferrari de compétition va jouer un rôle important pour la marque, et ce à deux titres. Tout d'abord, ses succès en compétition font beaucoup pour la renommée de Ferrari. Par ailleurs, elle suscite un tel engouement auprès de la clientèle que le constructeur en tire de jolis profits. Pour le profane, une Ferrari de route semble quelque peu spartiate, surtout au regard de son prix. Une berlinette Ferrari est en fait une voiture de course dotée d'un toit : elle est totalement dépourvue de garnitures, d'isolation phonique, de chauffage et autres équipements de confort. Tous les vitrages hormis le pare-brise sont en Plexiglas, et les panneaux de carrosserie presque toujours en aluminium. L'espace dévolu aux bagages est presque réduit à néant, au profit d'énormes réservoirs de carburant.

Les premières berlinettes de 1955 sont des évolutions de prototypes et autres modèles spéciaux dessinés par Pinin Farina, même si la première vraie «Tour de France» a été créée à Modène par Scaglietti. Implanté tout près de Maranello, ce spécialiste est tout indiqué pour réaliser les carrosseries de bolides de course et les modifications à effectuer en toute hâte. La 250 Tour de France construite par Scaglietti est une berlinette «tout alu» sur châssis tubulaire en acier. Les panneaux sont soutenus par des tubes d'acier léger. La plupart des exemplaires produits connaîtront la réussite en course. D'autres, à l'habitacle un peu mieux aménagé, feront d'extraordinaires routières. Pour l'hiver, un volet actionné au moyen d'une petite chaîne chromée évite que l'air glaciale n'atteigne le radiateur; le pilote l'abaisse lorsque la température monte. Certaines berlinettes sont dotées de deux commandes au pied : l'une permet de passer de feux de route en feux de croisement, l'autre actionne simultanément les feux et les puissants avertisseurs sonores. Un superbe volant en alliage, à jante de bois, s'orne du célèbre cheval cabré. La plupart des berlinettes sont dotées de sièges baquets non réglables garnis de cuir, épousant de près les hanches (il n'y a encore ni ceinture de sécurité, ni arceau-cage !). Le capot est dépourvu de charnières, par souci de gain de poids; il est maintenu par des sangles de cuir et d'inimitables agrafes chromées (avec lesquelles les maladroits ne manquent jamais d'érafler la peinture).

Zagato, autre carrossier italien, habillera lui aussi des 250 GT. On les reconnaît à la traditionnelle «double bulle» du pavillon. Les voitures car-

CARACTÉRISTIQUES	250 TOUR DE FRANCE	250 GT CALIFORNIA
MOTEUR	V12, 2953 cm³	V12, 2953 cm³
PUISSANCE	230/280 ch à 7000 tr/min	240/250 ch à 7000 tr/min
TRANSMISSION	Boîte manuelle à 4 rapports	Boîte manuelle à 4 rapports
CHÂSSIS	Acier tubulaire	Acier tubulaire
SUSPENSION	AV à roues indépendantes, AR essieu rigide *(les deux modèles)*	
FREINS	À tambours	À tambours
VITESSE MAXIMUM	230 km/h	201 km/h
ACCÉLÉRATION	0-100 km/h : 8,2 s 0-160 km/h : 16,1 s	7,5 s 16,4 s

PAGE CI-CONTRE : *Ferrari 250 GT « châssis long » (n° 0557 GT), victorieuse au Tour de France 1956.* CI-CONTRE ET CI-DESSOUS : *Ferrari 250 GT « châssis long » California.*

rossées par Scaglietti ont parfois des optiques enfoncées dans les ailes et protégées par un carénage en Plexiglas. Le panneau de custode est tout d'abord plein; à partir de 1957 il est ajouré de quatorze petites ouïes, remplacées dans l'année par trois lames plus larges. En 1958, la version définitive reçoit une grosse fente unique. Ces caractéristiques permettent de dater une berlinette Scaglietti. De 1955 à 1959, la prestigieuse 250 GT «Tour de France» («châssis long») ne sera supplantée qu'en 1960 par la 250 GT «châssis court», encore plus performante. Pinin Farina conçoit une version découverte de la «Tour de France» pour satisfaire la demande exprimée par l'importateur Ferrari en Amérique du Nord, Luigi Chinetti. Cette 250 GT California est tout simplement superbe! Quelques-uns de ces spiders construits par Scaglietti vont même s'illustrer en course, le meilleur résultat étant une huitième place à Sebring en 1960.

Production	Dates	Unités
250 Tour de France	1955-1959	84
250 GT California	1957-1960	49

Ci-dessus : *Le V12 3 litres de la 250 GT « Tour de France » (châssis n° 0677), troisième aux Mille Miglia 1957.*

Ci-dessous : *La berlinette Scaglietti vue de trois-quarts arrière.*

Ci-dessus : *Le cockpit de la même voiture, comme neuf. On s'y verrait bien !*

Ci-contre : *La 250 GT « Tour de France » châssis long (n° 0677).*

PV 96

Ferrari 410 Superamerica

Parfois désignée sous l'appellation «4.9», la 410 SA possède le plus gros moteur alors implanté sous le capot d'une Ferrari de route. Le V12 simple arbre Lampredi possède un carter moteur en silumine avec chemises en fonte vissées dans la culasse. Cet ensemble culasse-bloc moteur est boulonné au carter. Aucun risque de voir un joint de culasse céder : il n'y en a pas! Ceci a nécessité un usinage extrêmement précis. Les couvre-culasse du V12 sont fixés par sept goujons, ce qui est normal pour un moteur Lampredi. Trois carburateurs Weber 46 DCF/3 alimentent les 4,9 litres du V12 assoiffé. Les possesseurs d'une telle voiture ne s'en soucient guère, mais une consommation de 30 l/100 km n'a rien d'inhabituel. Le châssis est en tubes d'acier, de section ovale à la base (ces tubes de section ovale, fabriqués à Milan par Gilco Autotelai, sont depuis de longues années une caractéristique de maintes Ferrari).

La première 410 SA repose sur un empattement de 2,80 m, ce qui est long mais bien en accord avec l'échelle de cette grosse voiture. La suspension avant à roues indépendantes fait appel à des triangles en acier forgé, tous reliés au châssis par des bagues de bronze et des pièces en acier meulé. Chaque articulation est pourvue de son propre dispositif de graissage, qui nécessite de fréquentes attentions, elles-mêmes garantes d'un comportement routier précis, positif et rassurant. La suspension arrière est plus conventionnelle, avec ses ressorts à lames semi-elliptiques et ses deux barres de réaction de chaque côté guidant l'essieu rigide. Avant la livraison, le choix est offert entre quatre rapports au pont.

La 410 SA fait sa première apparition publique au Salon de Paris 1955... sans carrosserie. On la verra ensuite «habillée» par Pinin Farina, au Salon de Bruxelles 1956. Pinin Farina s'est inspiré de la

250 construite par Boano, avec une ligne de caisse plutôt basse et de grandes vitres. Derrière la roue avant une grande écope ornée de chromes permet l'évacuation de l'air chaud du compartiment moteur. De longs et minces pare-chocs, des roues à rayons et une prise d'air sur le capot contribuent à la distinction de cette automobile. Comme de coutume sur une voiture construite en si petits nombres, on ne trouve pas deux exemplaires strictement identiques ; certains sont même très particuliers, comme la création de Ghia sur le châssis n° 0473 SA, qui semble tout droit sortie de Detroit avec son pare-brise panoramique, ses immenses ailerons et ses chromes à profusion.

Il convient aussi de mentionner la première Superfast présentée par Pinin Farina au Salon de Paris 1956 ; construite sur un empattement de 2,60 m, elle annonce la 410 SA série II. Six exemplaires seulement seront produits avant l'apparition de la troisième version (à Paris encore, en 1958). Cette série III est dotée du premier V12 Ferrari dont les bougies sont situées à l'extérieur du « V » (entre les conduits toujours chauds du collecteur d'échappement), alimenté en carburant par trois carburateurs Weber 42 DCF. La puissance s'établit à 400 ch au régime de 6 500 tr/min. La brochure commerciale (sans aucune photo de la voiture…) annonce le choix entre huit rapports au pont ! La 410 SA sera la dernière Ferrari à recevoir le V12 conçu par Aurelio Lampredi.

PAGE CI-CONTRE : *Cette Ferrari Superamerica série III de 1959 est l'une des douze carrossées par Pinin Farina.*
EN HAUT : *La même, vue de trois quarts arrière.*
CI-CONTRE : *Le somptueux habitacle de la 410 SA.*

CARACTÉRISTIQUES	410 SÉRIE I	SÉRIE II	SÉRIE III
MOTEUR	V12, 4 962 cm^3	V12, 4 962 cm^3	V12, 4 962 cm^3
PUISSANCE	340 ch à 6 000 tr/min	380 ch à 6 500 tr/min	400 ch à 6 500 tr/min
TRANSMISSION	Boîte manuelle à 4 rapports	Boîte manuelle à 4 rapports	Boîte manuelle à 4 rapports
CHÂSSIS	Acier tubulaire	Acier tubulaire	Acier tubulaire
SUSPENSION	AV à roues indépendantes, AR essieu rigide *(tous modèles)*		
FREINS	À tambours	À tambours	À tambours
VITESSE MAXIMUM	261 km/h	261 km/h	266 km/h
ACCÉLÉRATION	0-100 km/h : NC 0-160 km/h : NC	5,9 s 12,1 s	6,3 s 14,5 s

Production	Dates	Unités
Série I	1956	17
Série II	1957	6
Série III	1958-1959	12

Ferrari 250 GT PF Coupé et *Cabriolet*

En cette fin des années 1950, l'usine Ferrari dispose désormais de trois types de produits : les voitures de course, les berlinettes et les «routières». Les premières – qu'elles soient monoplaces ou dotées de deux sièges – ont toujours été les plus chères au cœur d'Enzo Ferrari. Même s'il ne va pas assister aux courses, il vibre toujours à la perspective d'une nouvelle victoire. Les berlinettes sont entretenues pour leurs propriétaires par le département Assistenza Cliente, longtemps dirigé par l'ingénieur Florini. Celui-ci se rend à toutes les grandes épreuves où figurent aussi les racers de l'usine, mais il y est pour apporter son aide aux écuries des concessionnaires – telles que le North American Racing Team (NART) de Chinetti, l'Écurie Francorchamps de Jacques Swaters ou le team Maranello Concessionnaires du colonel Ronnie Hoare – ainsi que des privés qui ont sans doute plus que d'autres besoin d'un tel appui. Le carrossier joue certainement un rôle d'incitation déterminant dans l'essor de la production des routières.

Au Salon de Paris de 1958 apparaît le coupé 250 GT de Pininfarina, d'une élégance un peu guindée. Il a été précédé de quelques mois par la version cabriolet. La firme Automobile Ferrari est alors dotée d'un réseau de commercialisation mondial : elle est représentée dans dix-sept pays par quarante et un concessionnaires, dont douze en Italie. Il faut construire des voitures pour satisfaire une famille en expansion. La plupart des concessions sont dirigées par des pilotes ou des passionnés, seuls alors à bien connaître les Ferrari, qui veillent à ce qu'elles soient bien entretenues.

Le coupé et le cabriolet 250 GT Pininfarina sont des évolutions des modèles précédents construits par Boano (châssis en tubes d'acier, freins à tambours et amortisseurs Houdaille compris). Le V12 Colombo 3 litres est tout d'abord pourvu d'un seul distributeur, mais en reçoit un autre en cours d'année – ce dans un objectif de fiabilité. Le réglage de la distribution et de l'allumage sont aussi importants pour des performances de premier ordre que celui de six carburateurs ou plus. À la fin des années 1950, il n'y a pas de systèmes électroniques pour veiller à la tenue de tels réglages, aussi la plaisanterie sur la nécessité d'avoir un mécanicien dans la malle d'une Ferrari n'est-elle pas dénue de tout fondement.

La nouvelle Ferrari bâtie par Pininfarina ne néglige pas le confort : chauffage et ventilation, sièges réglables et malle arrière ont, dans la brochure, plus de place que les images du châssis et des suspensions. En 1959, le cabriolet (appelé à poursuivre sa carrière jusqu'en 1962) ressemble fort à une version décapitée du coupé, dont il partage la poupe et la proue. Un hard-top accentue encore cette ressemblance, à tel point que le cabriolet ainsi coiffé rend le coupé superflu (il lui survivra de deux ans). En 1960, Pininfarina aura construit 350 cou-

CI-CONTRE : *Coupé 250 GT Pininfarina. L'élégance des lignes est mise en valeur par sa livrée claire métallisée.*

CARACTÉRISTIQUES	250 GT PF COUPÉ
MOTEUR	V12, 2953 cm³
PUISSANCE	240 ch à 7000 tr/min
TRANSMISSION	Boîte manuelle à 4 rapports
CHÂSSIS	Acier tubulaire
SUSPENSION	AV à roues indépendantes, AR essieu rigide
FREINS	À tambours jusqu'en 1960, puis à disques
VITESSE MAXIMUM	203 km/h
ACCÉLÉRATION	0-100 km/h : 7,5 s 0-160 km/h : 17,5 s

pés, ce qui est plus que toute autre Ferrari antérieure. Les derniers cabriolets bénéficient d'un moteur à bougies extérieures au « V », d'amortisseurs télescopiques et de freins à disques

Production	Dates	Unités
250 GT PF coupé	1958-1960	350
250 GT PF cabriolet I	1957-1959	41
250 GT PF cabriolet II	1959-1962	200

CI-CONTRE : *Cabriolet Ferrari 250 GT Pininfarina Série II (châssis n° 2327 GT). Les sièges sont fort confortables, le volant très beau. Ce cabriolet est même équipé d'un autoradio.*

CI-DESSUS : *Le même cabriolet (châssis n° 2327 GT), à l'immatriculation tout à fait appropriée. La ligne est un peu lourde, presque exagérément luxueuse pour un vrai cabriolet ; il s'agit davantage d'une version ouverte du coupé.*

Ferrari 250 GT et *250 GT California*

La première berlinette 250 GT « châssis court » à carrosserie acier, (châssis n° 1993) est livrée le 28 juillet 1960 au colonel Ronnie Hoare, concessionnaire Ferrari au Royaume-Uni. Elle est bleue et son volant est à droite. Quelques mois plus tôt, au Salon de Paris 1959, est apparue la version compétition en aluminium.

Cette glorieuse voiture créée par Pininfarina est construite à Modène par Scaglietti, en acier ou en alu. Les deux versions reposent sur un châssis de 2,40 m et font appel au V12 Colombo. Le 16 juin 1960, la FIA accorde son homologation à la nouvelle Ferrari, déclarée conforme aux normes édictées par l'annexe J du Code sportif international. La version routière possède deux distributeurs, chacun avec deux séries de plots, et douze bougies à l'extérieur du « V ». Les nouvelles culasses ont aussi de nouvelles lumières d'admission, une par cylindre cette fois, d'une conception issue du moteur de compétition de la 250 TR. La boîte de vitesses à carter alu est à quatre rapports, l'embrayage est à simple disque à sec. Des freins à disques équipent les quatre roues – des Borrani à rayons et jante alliage, de 15 ou 16 pouces de diamètre et de 5,5 ou 6 pouces de large. La version routière est généralement chaussée de pneus Pirelli Cinturato, la version compétition l'est presque toujours de Dunlop R5.

Sept rapports au pont sont proposés, ce qui signifie que cette voiture est capable de s'imposer aussi bien à Brands Hatch qu'au Mans : la vitesse de pointe à 7 000 tr/min va de 203 km/h avec le rapport le plus court jusqu'à 269 km/h avec le plus long. Les trois carburateurs Weber 40DCZ de la routière sont dotés d'un gros épurateur d'air, alors que les carbus de la version course aspirent bruyamment l'air par leurs trompettes. La beauté des lignes de la berlinette châssis court, splendide sous tous les angles, est à la hauteur de son comportement. Le superbe équilibre qui incite le pilote à pousser toujours plus fort sa machine fait que l'accroche de l'avant et de l'arrière se mue progressivement en de belles glissades. Phénomène propre aux Ferrari, la stabilité en ligne droite semble s'accroître avec la vitesse. Le confort assuré par d'excellentes suspensions très bien amorties s'accompagne d'un léger roulis lorsque l'on cravache la voiture, mais ce roulis est sans doute plus perceptible pour le spectateur que pour le pilote.

La 250 GT California châssis court est l'un des plus beaux cabriolets jamais réalisés par Ferrari. Ses performances ? Supérieures à ce qu'exige le pilotage cheveux au vent. Ce modèle sera construit en deux versions par Scaglietti. La première comporte généralement des phares «normaux», sur la deuxième ils sont carénés. Certaines California châssis court vont s'engager sérieusement en compétition, mais sans rencontrer autant de réussite que leurs devancières à châssis long. La carrosserie de la 250 California est soit en acier, soit en aluminium : le client choisit l'un ou l'autre matériau au moment de passer commande. Il est permis de penser que la seule raison de retenir le modèle «acier» est que ses ailes ne ploient pas quand on s'assied dessus !

Le palmarès de la berlinette 250 châssis court est phénoménal, le triomphe suprême étant la victoire de Stirling Moss au Tourist Trophy de Goodwood en 1960, année où la glorieuse berlinette remporte presque tout dans le domaine des GT – des 1000 km de Buenos Aires en janvier aux 1000 km de Paris (à Montlhéry) en octobre.

Production	Dates	Unités
250 GT berlinette	1960-1962	167
250 GT California	1960-1963	55

CI-DESSOUS : *Cette berlinette 250 GT « châssis court » (châssis n° 1993) est le premier exemplaire à carrosserie acier (réalisée à Modène par Scaglietti), importé en Angleterre en 1960.*

CI-CONTRE ET À GAUCHE : *Ferrari 250 GT California (châssis n° 3021). Ce beau cabriolet Scaglietti « châssis court » arbore une grosse prise d'air sur le capot, des phares carénés et des pare-chocs enveloppants.*

CARACTÉRISTIQUES	250 GT BERLINETTE	250 GT CALIFORNIA
MOTEUR	V12, 2953 cm³	V12, 2953 cm³
PUISSANCE	240/280 ch à 7000 tr/min	280 ch à 7000 tr/min
TRANSMISSION	Boîte manuelle à 4 rapports	Boîte manuelle à 4 rapports
CHÂSSIS	Acier tubulaire	Acier tubulaire
SUSPENSION	AV à roues indépendantes, AR essieu rigide *(sur les deux modèles)*	
FREINS	À disques	À disques
VITESSE MAXIMUM	241 km/h	233 km/h
ACCÉLÉRATION	0-100 km/h : 6,2 s 0-160 km/h : 13,2 s	NC NC

Ferrari 250 GTE 2+2 et *330 America*

Comment réaliser une vraie quatre-places sur le même empattement qu'un modèle deux-places ? Ensemble, Ferrari et Pininfarina conçoivent la première vraie Ferrari quatre-places, la 250 GTE (ou GT/E) : magnifique ! Le châssis est hérité du coupé 250 GT Pininfarina, modifié de telle sorte que le moteur est avancé de 20 cm. L'usine désigne ce châssis sous l'appellation 508E (d'où le suffixe « E » de GT/E. La suspension fait appel à des wishbones, des ressorts hélicoïdaux et des amortisseurs télescopiques à l'avant, à des ressorts semi-elliptiques avec doubles barres de réaction et amortisseurs télescopiques à l'arrière. Freins à disques Dunlop servo-assistés aux quatre roues (des roues à rayons Borrani avec écrou à démontage rapide) complètent le tableau.

Le V12 Colombo, nourri par trois carburateurs Weber 40 DCL/6, possède des bougies à l'extérieur du V (comme le coupé 250 GT Pininfarina). À la boîte à quatre rapports est associé un overdrive qui abaisse la consommation de carburant à vitesse élevée et réduit le régime moteur de 22 pour cent. Ce système, que l'on ne peut actionner qu'en quatrième, ne sera pas jugé très satisfaisant. La carrosserie de Pininfarina, développée en étroite collaboration avec Ferrari, a bénéficié d'essais en soufflerie, ce qui est très avant-gardiste en 1960. Chauffage et ventilation sont très soigneusement étudiés – des grilles, de part et d'autre du compartiment moteur, permettent l'évacuation de l'air chaud. Grâce à une exploitation optimale de l'espace disponible, la malle arrière est de bonne contenance. Quatre gros pots d'échappement chromés surgissent à l'arrière, sous le grand pare-choc enveloppant. À l'avant, deux antibrouillards se nichent dans une calandre « typiquement Ferrari ». Un superbe *cavallino* (cheval) en aluminium se cabre sur cette calandre, juste sous l'insigne de capot.

Aussi bien équilibrée que ses devancières offrant deux places de moins qu'elle, la 250 GT/E présente un excellent comportement routier.

Pour Ferrari, ce nouveau modèle est important car il permet d'attaquer des marchés sur lesquels les coupés deux-places ne sont pas jugés pratiques. La production sera de près d'une voiture par jour pendant trois ans, ce qui est alors beaucoup pour Ferrari. Les modifications seront rares et il y aura peu de carrosseries spéciales. Le baptême de la GT/E est l'occasion d'un joli coup de marketing : en juin 1960, un prototype est mis à la disposition de la direction de course aux 24 Heures du Mans. C'est la première fois que la nouvelle 2+2 est vue par les journalistes spécialisés du monde entier ; les Ferrari de compétition vont lui faire honneur, en s'adjugeant six des sept premières places. Le lancement officiel aura lieu au Salon de Paris suivant. La production cesse vers la fin de 1963, non sans qu'une cinquantaine d'exemplaires aient été pourvus d'un nouveau V12 de 4 litres, appelé à équiper la 330 GT 2+2 : hormis le changement de motorisation, cette version réservée au marché nord-américain, désignée sous le nom de 330 America, est identique à la 250.

Production	Dates	Unités
250 GTE 2+2	1960-1963	950
330 America	1957	50

CARACTÉRISTIQUES	250 GT/E 2+2	330 AMERICA
MOTEUR	V12, 2953 cm³	V12, 3967 cm³
PUISSANCE	235 ch à 7000 tr/min	300 ch à 6600 tr/min
TRANSMISSION	Boîte manuelle à 4 rapports + OD *(les deux modèles)*	
CHÂSSIS	Acier tubulaire	Acier tubulaire
SUSPENSION	AV à roues indépendantes, AR essieu rigide *(les deux modèles)*	
FREINS	À disques	À disques
VITESSE MAXIMUM	219 km/h	245 km/h
ACCÉLÉRATION	0-100 km/h : 7,9 s 0-160 km/h : 18,2 s	6,6 s NC

Trois aspects de la 250 GT/E 2+2 (châssis n° 2801 GT/E), sans doute la première vraie Ferrari de série, aux belles lignes signées Pininfarina et au moteur V12 ayant fait ses preuves en compétition.

Ferrari 400 Superamerica

À l'orée des années 1960, Ferrari produit près d'une voiture par jour. La majeure partie des Ferrari assemblées sont des 250, mais pour les clients les plus riches il existe une Ferrari d'exception : la 400 SA, première voiture de la marque à ne pas porter une appellation qui corresponde à la cylindrée unitaire (le 4 litres aurait dû induire le nom de 330… mais ce sera 400).

Ce moteur issu du Colombo possède des bougies à l'extérieur du V et trois carburateurs Weber 42 DCN. La 400 SA succède à la 410 SA : le moteur de la 400 prend moins de place, son châssis est plus court (2,42 m d'empattement). La commercialisation se fera par la grâce du bouche à oreille, car aucune brochure publicitaire n'est réalisée, bien que de superbes photos aient été prises chez Pininfarina. Le châssis se conforme à la pratique habituelle de Ferrari au début des années 1960 : tubes d'acier à section ovale, suspensions avant à wishbones avec ressorts hélicoïdaux et amortisseurs télescopiques, essieu rigide et ressorts semi-elliptiques à l'arrière. Cette lourde voiture (près de 1,6 t) est arrêtée par quatre freins à disques. L'embrayage est à simple disque, la boîte à quatre rapports est associée à un overdrive Laycock de Normanville.

Le premier cabriolet 400 SA Pininfarina est dévoilé au Salon de Bruxelles 1960. Jusqu'en 1963, une version ou une autre de la 400 SA va figurer sur le stand de Ferrari dans chaque grand Salon de l'automobile – ces automobiles sont faites pour être admirées des heures durant. Pininfarina aura habillé toutes les 400 SA sauf deux ; elles sont toutes légèrement différentes les unes des autres, et tous ces coupés se signalent par leurs lignes élancées, fluides et vigoureuses à la fois.

Le châssis n° 2207 SA, propriété personnelle de Battista Pinin Farina, fait son apparition publique au

CI-DESSOUS : *Coupé 400 Superamerica réalisé par Pininfarina.*

CI-CONTRE : *Puissant coupé de grand tourisme, la Ferrari 400 Superamerica se signale par ses lignes aérodynamiques.*

Salon de Turin 1960, sous le nom de SuperFast II. Sa carrosserie sera retravaillée à plusieurs reprises, pour devenir SuperFast III puis IV. Les dernières 400 SA verront leur empattement porté à 2,60 m, au profit de l'habitabilité.

Les 400 SA, produites en tout petit nombre, seront sans conteste les derniers exemples d'une carrosserie extravagante, que l'on pourrait presque qualifier de «haute couture». À certains égards, elles auront pour héritières les 288 GTO et autres F40 : les seuls amateurs susceptibles d'en posséder sont des clients fidèles de la marque.

L'on peut penser que Pininfarina, sachant que l'ère du «sur mesure» va prendre fin, a voulu saisir là l'occasion de créer ses chefs-d'œuvre, avant qu'il ne soit trop tard.

Production	Dates	Unités
Série I	1960-1962	coupé 19/cab 6
Série II	1963-1964	coupé 19/cab 3

CARACTÉRISTIQUES	400 SA SÉRIES I et II
MOTEUR	V12, 3 967 cm^3
PUISSANCE	340 ch à 7 000 tr/min
TRANSMISSION	Boîte manuelle à 4 rapports + OD
CHÂSSIS	Acier tubulaire
SUSPENSION	AV à roues indépendantes, AR essieu rigide
FREINS	À disques
VITESSE MAXIMUM	265 km/h
ACCÉLÉRATION	NC

Ferrari 250 GT Berlinetta Lusso

Le Salon de Paris d'octobre 1962 est marqué par les grands débuts de la Ferrari favorite, la 250 GT Berlinetta Lusso. La 250 «châssis court» de course disparaît tout comme son homologue routière, pour laisser place à cette «Lusso» qui va occuper la position de coupé deux-places de luxe au sein de la gamme Ferrari.

Le châssis de 2,40 m d'empattement (comme celui de la nouvelle 250 GTO) est en tubes d'acier dans la grande tradition Ferrari. La suspension avant fait appel à des bras triangulaires en acier forgé, à des ressorts hélicoïdaux et à des amortisseurs télescopiques Koni. L'essieu arrière est guidé par des barres de réaction jumelées, des ressorts à lames semi-elliptiques et un parallélogramme de Watts – qui pivote à l'arrière du carter de différentiel et, au moyen de deux bras, empêche le déplacement latéral de l'essieu; les amortisseurs arrière sont entourés de ressorts légers qui assistent ce système. Par la suite, Ferrari optera pour des ressorts hélicoïdaux. Les freins à disques sont servo-assistés, et les roues sont des Borrani à rayons.

Le taux de compression du V12 de 3 litres simple arbre est de 9,2 : 1. Ce moteur, placé un peu plus en avant sur le châssis que celui de la 250 GTO, ne dispose pas d'une lubrification par carter sec. La plupart des Lusso sont pourvues de trois carburateurs Weber 36 DCS, placés sous un filtre à air commun (peint en noir). Les deux allumeurs Marelli et les deux filtres à huile sont en évidence lorsque l'on soulève le capot.

La carrosserie dessinée par Pininfarina est construite par Scaglietti, qui emploie l'acier pour la

CARACTÉRISTIQUES	250 GT LUSSO
MOTEUR	V12, 2953 cm³
PUISSANCE	250 ch à 7000 tr/min
TRANSMISSION	Boîte manuelle à 4 rapports
CHÂSSIS	Acier tubulaire
SUSPENSION	AV à roues indépendantes, AR essieu rigide
FREINS	À disques
VITESSE MAXIMUM	240 km/h
ACCÉLÉRATION	0-100 km/h : 8,5 s 0-160 km/h : 19,5 s

plupart des panneaux fixes et l'aluminium pour les portières et capots (les exemplaires circulant en Europe du Nord souffriront de la rouille). La malle est petite, mais les bagages trouvent un espace supplémentaire derrière les sièges. La roue de secours est dans le coffre. En digne Ferrari, la Lusso semble en mouvement même quand elle est à l'arrêt. L'arrière tronqué (de type « Kamm ») fait son apparition avec la Lusso ; bien d'autres Ferrari reprendront cette caractéristique aérodynamique, ainsi que les feux arrière ronds d'une extrême simplicité. La calandre s'incline rageusement vers l'avant entre les phares situés dans le prolongement des ailes. L'importance des surfaces vitrées rend la visibilité particulièrement généreuse (certains conducteurs jugent toutefois que le grand volant à jante de bois est placé trop haut). Compteur et compte-tours sont placés au centre du tableau de bord et bizarrement orientés vers le pilote.

PAGE CI-CONTRE ET CI-CONTRE : *Ferrari 250 GT Berlinetta Lusso, (châssis n° 4655 GT), ou comment Scaglietti interprète les belles lignes dessinées par Pininfarina.*

Les sièges baquets non réglables assurent un soutien correct. Pour la première fois dans une Ferrari, des ceintures de sécurité sont proposées (en option). Encore une saison, et puis la Ferrari 250 entre dans l'histoire. Des Mille Miles 1952 à la Lusso châssis n° 5955 GT, le V12 Colombo 250 aura imposé sa marque sur bien des compétitions, dans le cœur des passionnés de grand tourisme et dans la mémoire de tous les amoureux du feulement des douze cylindres en furie.

Production	Dates	Unités
250 GT Lusso	1962-1964	350

CI-CONTRE : *L'habitacle de la « Lusso », mettant en évidence le compteur et le compte-tours orientés vers la conducteur.*

Ferrari 330 GT 2+2

Cette superbe Ferrari 330 GT 2+2 première série (châssis n° 6497) se permet quelques écarts : les rétroviseurs extérieurs et le pommeau du levier de vitesses ne sont pas conformes à la série !

La 330 GT 2+2 fait sa première apparition publique au début de 1964, au Salon de Bruxelles. Succédant à la 330 America, la nouvelle venue possède une carrosserie entièrement différente et un châssis allongé.

Le moteur, de même cylindrée que celui de la 400 SA, s'en distingue en fait à bien des égards, notamment par l'écartement entre le centre des cylindres, par la façon dont ce moteur est fixé dans son compartiment, mais aussi dans les domaines du système de refroidissement et du circuit électrique (un alternateur est adopté). La 330 GT 2+2 première série est pourvue d'une boîte à quatre rapports avec embrayage monodisque à sec formant bloc avec le moteur. À l'arrière de la boîte se trouve un overdrive Laycock de Normanville, sorte de cinquième vitesse puisqu'il ne peut être actionné (électriquement) que lorsque la boîte est sur le quatrième rapport. Les rapports, bien étagés, sont tous synchronisés. L'essieu arrière est guidé par des ressorts à lames semi-elliptiques et deux barres de réaction de chaque côté. Au-dessus de l'essieu des amortisseurs télescopiques et de petits ressorts hélicoïdaux sont montés concentriquement. Pour ce qui est de la réduction finale, un seul rapport au pont est proposé, dans la mesure où il y a fort peu de chances que quiconque veuille utiliser un coupé 2+2 en compétition. Ce rapport de 8/34 donne une vitesse de pointe de 245 km/h à 6 400 tr/min en overdrive.

La suspension avant bénéficie d'une barre antiroulis et d'amortisseurs télescopiques réglables, qui permettent donc de choisir le type de comportement routier, plus ou moins rigide et donc plus ou moins sportif. Le rayon de braquage de la 330 est important : 13,70 m. Le système de freinage à quatre freins à disques comprend un double maître-cylindre, deux servofreins et deux réservoirs de liquide de freins (un pour l'avant, l'autre pour l'arrière). Dans des conditions idéales, la distance de freinage de 160 km/h à l'arrêt s'établit à 114 m.

Le spacieux habitacle offre quatre vraies places et une excellente visibilité ; la malle arrière est de belle capacité. Les phares jumelés ne plaisent pas à tous, mais il remplissent parfaitement leur office. La 330, qui émet un somptueux chant de douze-cylindres, est d'autant plus agréable à conduire que l'on peut faire goûter ces sensations à deux ou trois amis.

CARACTÉRISTIQUES	330 GT 2+2 SÉRIE I	SÉRIE II
MOTEUR	V12, 3967 cm³	V12, 3967 cm³
PUISSANCE	300 ch à 6600 tr/min	300 ch à 6600 tr/min
TRANSMISSION	Boîte manuelle à 4 rapports + OD	Boîte manuelle à 5 rapports
CHÂSSIS	Acier tubulaire	Acier tubulaire
SUSPENSION	AV à roues indépendantes, AR essieu rigide *(sur les deux modèles)*	
FREINS	À disques	À disques
VITESSE MAXIMUM	245 km/h	245 km/h
ACCÉLÉRATION	0-100 km/h : 8,5 s	8,5 s

Les ventes vont être soutenues, ce qui justifie tout à fait la présence d'un coupé 2+2 au sein de la gamme. En cours d'année 1965 apparaît une deuxième série, au nez redessiné ne comptant plus que deux phares, et aux sorties d'air latérales modifiées. Des jantes en alliage léger sont proposées pour la première fois sur une 2+2, et une boîte à cinq rapports remplace la boîte quatre vitesses avec overdrive parfois capricieuse. Les ultimes 330 GT 2+2 adopteront une nouvelle implantation du moteur, celle des 330 GTC et la 275 GTB/4.

Production	Dates	Unités
Série I	1964-1965	500
Série II	1965-1966	575

Ferrari 275 GTB et *275 GTS*

Au Salon de Paris 1964, Ferrari dévoile une berlinette et un spider, baptisés respectivement 275 GTB et 275 GTS. Ces deux merveilleuses automobiles, qui partagent les mêmes nouveaux châssis et moteur, ont été dessinées par Pininfarina et seront réalisées par Scaglietti à Modène.

Le V12 Colombo de la Lusso, suralésé, gagne 25 cm^3 par cylindre et devient un 3,3 litres. La nouvelle boîte cinq vitesses est accolée au différentiel à l'arrière du châssis. L'arbre de transmission, stabilisé par un palier central monté sur le châssis, relie l'embrayage (lui aussi à l'arrière) à la nouvelle transmission. La tringle de changement de rapports s'avance entre les sièges jusqu'à un levier de vitesses en position conventionnelle. La GTS et la GTB sont les premières Ferrari à posséder un train arrière à roues indépendantes, à doubles bras triangulaires en acier embouti, ressorts hélicoïdaux, amortisseurs réglables et barre antiroulis. La brochure initiale de la 275 GTB fait état d'une direction à crémaillère, ce qui est prématuré : la 275 conserve le boîtier ZF à vis sans fin.

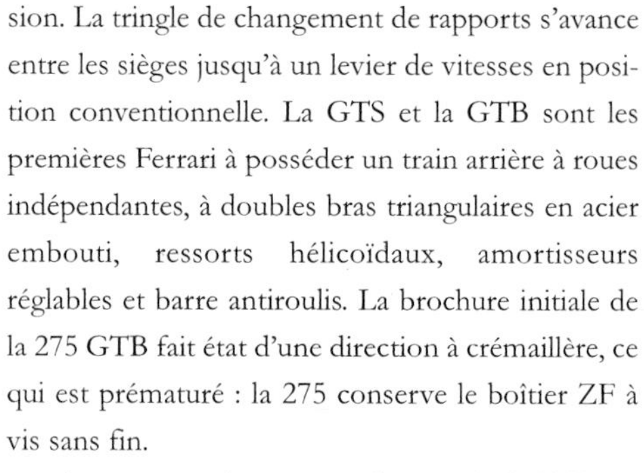

Au moment de commander une 275 GTB, on peut choisir entre une carrosserie en acier ou en aluminium, trois ou six paires de carburateurs Weber, roues alliage ou à rayons. Aux 24 Heures du Mans 1965, une 275 GTB de l'Écurie Francorchamps (pilotée par Willie Mairesse et « Beurlys ») s'adjuge la troisième place au classement général ; l'année suivante, Roy Pike et Piers Courage donnent une huitième place à l'écurie de Ronnie Hoare, au volant de la Ferrari n° 09035 GT. L'étonnante polyvalence des routières de Maranello se manifeste un fois encore avec éclat.

La 275 va évoluer, avec notamment l'ajout bienvenu, en 1966, d'un tube de réaction qui entoure l'arbre de transmission et assure la rigidité entre le moteur et l'ensemble boîte-pont. Le moteur n'a plus qu'un point de montage de chaque côté, et la boîte n'a plus que deux points d'attache. La puissance est ainsi délivrée avec plus de souplesse, et la sélection des rapports se trouve facilitée. La stabilité de la voiture en ligne droite est améliorée par l'allongement et l'abaissement du nez (déjà profilé auparavant) ; la

CI-CONTRE : *Ferrari 275 GTB (châssis n° 7715 GT). Il s'agit d'un modèle à nez court, équipé de roues à rayons Borrani.*

CI-DESSOUS : *Cette Ferrari 275 GTS (châssis n° 6989 GT), vue ici devant le siège de la concession anglaise à Egham, est pourvue d'un siège passager extra-large qui fait de ce cabriolet une trois-places.*

CARACTÉRISTIQUES	275 GTB	275 GTS
MOTEUR	V12, 3 285 cm^3	V12, 3 285 cm^3
PUISSANCE	300 ch à 7 500 tr/min (6 carbus)	260 ch à 7 000 tr/min
TRANSMISSION	Boîte manuelle à 5 rapports	Boîte manuelle à 5 rapports
CHÂSSIS	Acier tubulaire	Acier tubulaire
SUSPENSION	AV et AR à roues indépendantes *(sur les deux modèles)*	
FREINS	À disques	À disques
VITESSE MAXIMUM	257 km/h (6 carbus)	233 km/h
ACCÉLÉRATION	0-100 km/h : 6,8 secondes 0-160 km/h : NC	7,5 s 18,8 s

visibilité vers l'arrière bénéficie de l'agrandissement de la lunette (qui a imposé le positionnement externe des charnières de malle). Pour ne pas nuire à la fluidité de la ligne, la trappe du réservoir d'essence se loge dans le coffre, tout comme la roue de secours. Le volume de la malle en est certes réduit, mais des bagages peuvent trouver place derrière les sièges. La 275 est l'une des premières Ferrari dont les pédales d'embrayage et de frein soient articulées par le haut et non au plancher.

La 275 GTS, quasi-identique à la GTB sur le plan mécanique (son moteur est cependant un peu moins poussé), ne sera jamais considérée comme aussi séduisante que la berlinette. Le hard-top (en option) ne lui sied pas particulièrement.

Production	Dates	Unités
275 GTB	1964-1966	456
275 GTS	1964-1966	200

Ci-dessous : *L'habitacle de la 275 GTB (châssis n° 08647 GT). Les indications des cadrans sont en blanc sur fond noir ; levier de vitesses à pommeau noir avec grille de sélection.* En bas : *Même Ferrari, avec feux arrière ronds et quatre pots d'échappement.*

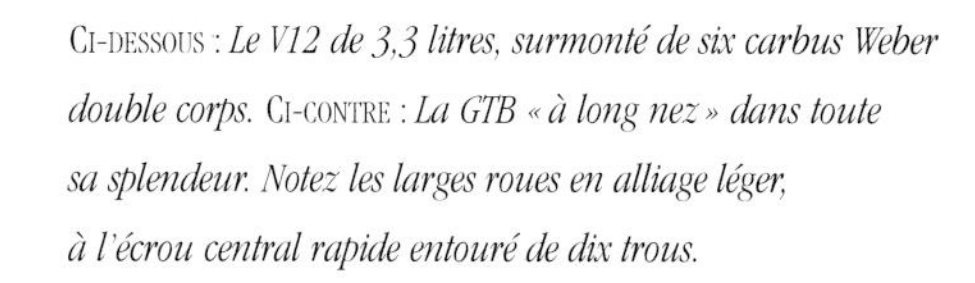

Ci-dessous : *Le V12 de 3,3 litres, surmonté de six carbus Weber double corps.* Ci-contre : *La GTB « à long nez » dans toute sa splendeur. Notez les larges roues en alliage léger, à l'écrou central rapide entouré de dix trous.*

JJJ 11D

Ferrari 275 GTB/4 et *Spider «NART»*

Mauro Forghieri conçoit les culasses double arbre de la 275 P2 de 1965. Cette voiture de course, évolution de la 250 P, s'illustre au début de la saison 1965 en remportant la 49e Targa Florio aux mains de Nino Vaccarella et Lorenzo Bandini. Les solutions éprouvées en compétition devant trouver une application sur les modèles de route, le moteur à double arbre à cames en tête par rangée de cylindres figure sous le capot de la nouvelle 275 GTB/4 présentée au Salon de Paris 1966.

La 275 GTB est en 1966 devenue une automobile de grand tourisme luxueuse et empreinte de raffinement mécanique. Les caractéristiques les plus réussies, comme le tube contenant l'arbre de transmission et le nez allongé, sont conservées, mais l'élément le plus séduisant se trouve bel et bien sous le capot, où le V12 double arbre délivre 300 ch à 8 000 tr/min. Plus volumineux du fait de l'adoption d'un système de lubrification par carter sec, ce moteur aurait pu être placé plus bas sur le châssis, mais en fait la version à doubles arbres à cames en tête se distingue de sa devancière par un bossage du capot. Le réservoir d'huile est implanté sur un côté, à l'intérieur du compartiment moteur. Dans la brochure commerciale, la voiture est présentée avec des roues alliage d'un dessin assez simple (avec dix petits trous autour de l'écrou central), qui ressemblent fort à celles des modèles de compétition. Des roues à rayons sont proposées en option, et le choix est offert entre carrosserie acier ou alu.

CARACTÉRISTIQUES	275 GTB/4	275 GTB/4 SPIDER « NART »
MOTEUR	V12, 3285 cm³	V12, 3285 cm³
PUISSANCE	300 ch à 8000 tr/min	300 ch à 8000 tr/min
TRANSMISSION	Boîte manuelle à 5 rapports	Boîte manuelle à 5 rapports
CHÂSSIS	Acier tubulaire	Acier tubulaire
SUSPENSION	AV et AR à roues indépendantes *(sur les deux modèles)*	
FREINS	À disques	À disques
VITESSE MAXIMUM	267 km/h	249 km/h
ACCÉLÉRATION	0-100 km/h : NC 0-160 km/h : NC	7 s 15 s

CI-DESSOUS : *Magnifique dans sa livrée argent, cette 275 GTB/4 (châssis n° 10843 GT) ne se distingue pas, vue sous cet angle, des dernières 275 GTB simple arbre.*

Le moteur quatre arbres représente à son époque un summum de génie mécanique ; sans égal pour ce qui est de la beauté du chant, il procure un plaisir fantastique sur route dégagée, rectiligne ou sinueuse. On se régale à jouer du levier de vitesses. Ce moteur d'une formidable réactivité vaudra à la 275 GTB/4 une réputation aussi durable que méritée.

Sur le même châssis de 2,40 m d'empattement et en conservant la même mécanique, Luigi Chinetti fait réaliser une version spider. L'importateur Ferrari aux États-Unis a perçu le besoin d'une voiture découverte propre à combler le vide laissé par les modèles California : à sa demande, Scaglietti construit dix exemplaires du spider aujourd'hui connu sous le nom de «NART». La réussite est totale ! Il semble dommage que la commande n'ait pas été passée plus tôt, et l'on ne peut que regretter le faible nombre de ces magnifiques spiders, mais il faut se souvenir qu'il n'était pas si facile de commercialiser des Ferrari dans les années 1960, et qu'une version plus désirable était avant tout un moyen de promouvoir les ventes. La 275 quatre arbres aura une carrière très brève (un peu plus d'un an), et ne sera guère engagée en compétition.

Production	Dates	Unités
275 GTB/4	1966-1968	350
Spider «NART»	1967	10

PAGE CI-CONTRE : *Extérieurement, la version double arbre ne se différencie d'une simple arbre « long nez » que par le discret bossage du capot.*

CI-CONTRE : *Une Ferrari 275 GTB/4 (châssis n° 11019) en action.*

Ferrari 330, 365 GTC et GTS

Ferrari a toujours produit plus de coupés que de spiders. Les 330 et 365 GTC ne font pas exception à cette règle. La 330 GTC fait ses débuts officiels à Genève en 1966. Conçue et construite par Pininfarina, cette voiture est en fait l'héritière de la «Lusso». Bâtie sur le traditionnel châssis court (2,40 m d'empattement) en tubes d'acier, elle est animée par le V12 de 4 litres de la 2+2, relié à l'ensemble boîte-pont par un tube contenant l'arbre de transmission. Les roues en alliage léger (de type «10 petits trous»), les freins à disques servo-assistés, les suspensions avant et arrière à roues indépendantes et l'habituelle direction à vis sans fin s'associent pour procurer à cette superbe automobile un bel équilibre et un excellente maniabilité.

Les lignes de la GTC rappellent celles de la 330 GT 2+2 Série II, avec un empattement plus court. L'habitacle dégage une impression d'espace, la visibilité est parfaite. Le levier de vitesses surgit de la traditionnelle grille chromée. Le passage des cinq rapports est dur à froid, bruyant à chaud.

Les vitres électriques représentent une innovation dans laquelle Ferrari ne place qu'une confiance limitée, comme en témoigne la présence à bord (dans la boîte à gants, le plus souvent) d'une manivelle permettant éventuellement de lever ou abaisser une vitre. La climatisation est proposée en option; sans doute jugée indispensable en Amérique, elle ne l'est pas encore en Europe.

CARACTÉRISTIQUES	330	365
MOTEUR	V12, 3967 cm³	V12, 4390 cm³
PUISSANCE	300 ch à 6600 tr/min	320 ch à 6600 tr/min
TRANSMISSION	Boîte manuelle à 5 rapports	Boîte manuelle à 5 rapports
CHÂSSIS	Acier tubulaire	Acier tubulaire
SUSPENSION	AV et AR à roues indépendantes *(sur les deux modèles)*	
FREINS	À disques	À disques
VITESSE MAXIMUM	243 km/h	243 km/h
ACCÉLÉRATION	0-100 km/h : 7,2 s	NC

Au Salon de Paris 1967, la Carrozzeria Pininfarina diffuse un communiqué de presse concernant les voitures de sa conception. Au sujet de la 330 GTC, l'on peut lire : «Le bouchon de la trappe à essence, en alliage léger et orné en son centre du célèbre cheval Ferrari, s'ouvre depuis l'intérieur au moyen d'un levier placé à portée du conducteur. Ainsi, il est possible de faire le plein sans descendre de la voiture.» Quelle époque!

Les trois carburateurs double corps Weber 40 DCZ/6 sont alimentés par une armée de pompes électriques (Bendix et FISPA) et une pompe mécanique. Deux distributeurs comprenant chacun deux paires de plots alimentent deux bobines et douze bougies. Les freins à disques sont servo-assistés, à double maître-cylindre (l'avant et l'arrière disposent

CI-CONTRE : *Une 365 GTC (châssis n° 12557 GT) en quête de sensations sur le circuit de Goodwood. Notez la disparition des ouïes latérales au-dessus de l'insigne Pininfarina.*

de leur système de freinage séparé). Les sièges à dossier inclinable, réglables longitudinalement, s'ajoutent aux coussinets réglables des pédales de frein et d'embrayage pour procurer une confortable position de conduite. Ferrari a toujours fourni à ses clients des trousses à outils complètes : les acquéreurs 330 GTC reçoivent une lourde sacoche en similicuir contenant vingt-cinq articles, dont un marteau pour démonter les roues, un pistolet graisseur et toutes sortes de clés.

À l'automne 1966, la 330 GTS fait une entrée en scène parisienne (au Salon) et londonienne (un modèle blanc – châssis n° 09155 – à Earls Court). Cette version cabriolet de la GTC en reprend tous les éléments mécaniques. Le coupé 365 GTC est dévoilé au Salon de Paris 1968. Le premier exemplaire à conduite à droite (châssis n° 12107) est livré par Modène en février 1969. Cette belle voiture se présente sous une livrée argent sombre, appelée «Grigio Mahmoud»; la vie lui sera douce, puisque trente ans plus tard elle possède encore sa peinture d'origine. La 365, d'une cylindrée de 4,4 litres, se distingue de la 330 par des ouïes sur le capot (et non plus sur les flancs, lisses désormais). Une version cabriolet, la 365 GTS, sera produite brièvement (janvier-avril 1969) et en série très limitée.

Production	Dates	Unités
330	1966-1968	600 GTC et 100 GTS
365	1968-1970	150 GTC et 20 GTS

CI-DESSUS : *La Ferrari 330 GTC (châssis n° 9317 GT) est presque identique à la 365, hormis les ouïes situées derrière les roues avant.* CI-DESSOUS : *Ferrari 365 GTS (châssis n° 12457).*

Ferrari 500 Superfast et *365 California*

La Ferrari Superfast fait ses débuts au Salon de Genève 1964. En octobre de la même année, cette voiture de prestige est exposée à Earls Court, où elle se révèle le modèle le plus coûteux du Salon londonien : son prix de vente est en effet supérieur de plus de 20 pour cent à celui de la limousine Rolls-Royce Phantom V ! Cet exemplaire (châssis n° 6345) sera livré à son acquéreur dès la fermeture du Salon ; le bon de commande fait état d'un « coupé Superamerica 5 litres », ce qui montre que si le concessionnaire savait qu'un modèle spécial s'annonçait, l'usine n'avait pas encore décidé de son appellation.

Le moteur de la 500 Superfast possède des caractéristiques du V12 Colombo mais une cylindrée (5 litres) digne d'un moteur Lampredi. Les dimensions du châssis sont celles de la 330 GT 2+2. La suspension avant est à roues indépendantes, avec ressorts hélicoïdaux, amortisseurs télescopiques et barre antiroulis. À l'arrière, on trouve un essieu rigide et des ressorts semi-elliptiques. La 500 Superfast est l'une des premières Ferrari à être dotée d'une direction assistée, qui ne nuit en rien aux sensations de pilotage. Cette caractéristique restera propre à la marque, de sorte que nombre de conducteurs prenant pour la première fois le volant d'une Ferrari se demandent si la direction est assistée ou non.

Les premières Superfast possèdent une boîte quatre vitesses avec overdrive, mais, comme pour la 330, une nouvelle boîte à cinq rapports, plus satisfaisante, sera ensuite adoptée.

La carrosserie aux lignes majestueuses, dessinée et réalisée par Pininfarina, manifeste une ressemblance certaine avec la 400 Superamerica et les prototypes Superfast. Sobre et imposante, cette grosse automobile dégage une impression de puissance maîtrisée.

La 365 California, qui prend en quelque sorte la succession de la 500 Superfast, est produite en série plus limitée encore, pendant une année seulement (elle est présentée au Salon de Genève 1966, mais la production ne débute véritablement qu'à la rentrée suivante, pour prendre fin en juillet 1967). Les dimensions du châssis sont les mêmes que celles de la 500 Superfast et de la 330 GT 2+2, dont elle reprend les caractéristiques dans le domaine des suspensions. C'est la première fois qu'une motorisation justifie l'appellation «365» : une telle cylindrée unitaire est appelée à faire florès pendant une décennie chez Ferrari. Le V12 de la 365 California, équipé de trois carburateurs Weber 40DF/1, développe 320 ch à 6 600 tr/min.

Pininfarina a sculpté une ouïe de refroidissement qui s'étire de la portière jusqu'à l'arche de roue arrière. Cette caractéristique va perdurer sur de nombreux modèles, et notamment les Ferrari à moteur central, jusqu'à nos jours. Les phares auxiliaires escamotables, apparus pour la première fois avec la 365 California, anticipent sur la réglementation en matière de hauteur minimale des phares. Cela fait maintenant plus d'un quart de siècle que Ferrari a recours à cette solution. Empattement long et carrosserie découverte ne favorisent guère la rigidité de la 365 California, dont le comportement routier n'a rien d'exceptionnel.

Production	Dates	Unités
500 Superfast	1964-1966	36
365 California	1966-1967	14

PAGE CI-CONTRE : *La 500 Superfast (châssis n° 6673) est l'un des grands chefs-d'œuvre de Pininfarina.* CI-CONTRE : *La Ferrari 365 California est un imposant et luxueux cabriolet de prestige.* CI-DESSOUS : *Le V12 de 5 litres de la 500 SF prend toute sa place sous le capot !*

CARACTÉRISTIQUES	500 SUPERFAST	365 CALIFORNIA
MOTEUR	V12, 4 963 cm³	V12, 4 390 cm³
PUISSANCE	400 ch à 6 500 tr/min	320 ch à 6 600 tr/min
TRANSMISSION	Boîte manuelle à 4 r. + OD, puis boîte à 5 r.	Boîte manuelle à 5 rapports
CHÂSSIS	Acier tubulaire	Acier tubulaire
SUSPENSION	AV à roues indépendantes, AR essieu rigide (*sur les deux modèles)*	
FREINS	À disques	À disques
VITESSE MAXIMUM	282 km/h	246 km/h
ACCÉLÉRATION	NC	NC

Ferrari Dino 206 GT, 246 GT et *GTS*

Vittorio Jano, qui a travaillé avec Enzo Ferrari chez Alfa Romeo dans les années 1930, introduit le concept V6 chez Ferrari en 1955. Le fils d'Enzo, Dino, lui-même ingénieur (mais atteint d'une maladie gravissime, en phase terminale) convainc son père de construire le V6 qui désormais porte son nom. Après divers bolides de compétition opérant dans diverses catégories, après plusieurs prototypes, un petit bijou de berlinette routière est dévoilé au Salon de Turin 1967 : la Dino 206 GT est née.

Les lignes aérodynamiques de la Dino traduisent l'influence du travail en soufflerie effectué par Pininfarina aussi bien que des test «in vivo» réalisés par les prototypes de course antérieurs. L'exécution de cette routière est une immense réussite en matière de visibilité, facteur jugé pourtant extrêmement difficile à maîtriser dans la conception d'une automobile à moteur central. La 206 GT est bâtie sur un châssis traditionnel en tubes d'acier. Les suspensions avant et arrière sont à roues indépendantes, les roues alliage sont pourvues d'un écrou central à démontage rapide, la carrosserie réalisée par Pininfarina est entièrement en aluminium. Le V6 à quatre arbres à cames en tête est implanté transversalement derrière le pilote. La boîte de vitesses, elle-même en position transversale, fait bloc avec le différentiel et le carter moteur.

Cette architecture mécanique sera conservée jusqu'en 1989 par toutes les Ferrari V6 et V8 à moteur transversal. La 206 avec carrosserie tout alu, sièges revêtus de cuir, roues à démontage rapide et moteur tout alu est trop coûteuse pour bien se vendre. La 246 GT, qui fait sa première apparition publique au Salon de Genève 1969, est dotée de sièges à revêtement en plastique, d'un bloc moteur en fonte, de roues à goujons multiples, d'une carrosserie acier. Plus puissante, possédant plus de couple, elle est moins onéreuse que sa devancière : c'est là la recette du succès – en 1974, la Dino 246 GT et sa version spider 246 GTS auront été commercialisées à plus de 3 500 unités. La GTS, lancée en 1972, partage la mécanique de la 246 GT. Cette version découvrable n'est pas un vrai cabriolet, dans la mesure où la lunette arrière et ses montants restent en place après enlèvement du pavillon rigide, qui prend alors place verticalement derrière les sièges.

Les deux versions sont une révélation en termes de tenue de route et de stabilité. Du jamais vu ! Leur comportement routier est digne d'une voiture de course. La Dino est plus pratique d'usage et plus fiable que les grosses V12. C'est la première Ferrari qui puisse véritablement être l'unique véhicule de son propriétaire. Les 195 chevaux de la 246 (délivrés à 7 600 tr/min) la propulsent à plus de 240 km/h. La sensation de suprême agilité, le freinage ultra-efficace et insensible au fading, le moteur et la boîte comparables à des instruments de musique, incite le conducteur à aller plus vite. Comme sur les V12, le levier de vitesses se déplace bruyamment dans sa grille chromée, et le volant gainé de cuir encadre le traditionnel *cavallino rampante*. Le pied gauche prend

CI-DESSUS : *Cette belle Dino 206 GT (châssis n° 0186), dans sa livrée « Rosso Dino », est vue ici à Mugello en octobre 1995. Notez les roues à démontage rapide et la trappe de remplissage d'essence apparente, deux détails permettant d'identifier ce petit joyau automobile.*

place sur un repose-pied bien conçu à gauche de l'embrayage. La visibilité arrière est excellente en usage routier, mais nécessite un peu d'entraînement dans les manœuvres de parking.

Production	Dates	Unités
206 GT	1967-1969	152
246 GT	1969-1974	2 487
264 GTS	1972-1974	1 274

CARACTÉRISTIQUES	206 GT	246 GT	246 GTS
MOTEUR	V6, 1 986 cm³	V6, 2 418 cm³	V6, 2 418 cm³
PUISSANCE	180 ch à 8 000 tr/min	195 ch à 7 600 tr/min	195 ch à 7 600 tr/min
TRANSMISSION	Boîte manuelle à 5 rapports	Boîte manuelle à 5 rapports	Boîte manuelle à 5 rapports
CHÂSSIS	Acier tubulaire	Acier tubulaire	Acier tubulaire
SUSPENSION	AV et AR à roues indépendantes *(tous modèles)*		
FREINS	À disques	À disques	À disques
VITESSE MAXIMUM	238 km/h	243 km/h	243 km/h
ACCÉLÉRATION	0-100 km/h : 7,9 secondes 0-160 km/h : NC	7,1 s 18 s	7,1 s 18 s

CI-DESSOUS : *La Ferrari Dino 246 GT constitue pour une nouvelle clientèle un moyen idéal d'accéder à l'excellence « V12 Ferrari ». Elle offre en outre à son conducteur une tenue de route et une agilité d'ordinaire réservées aux voitures de course.*

CI-DESSOUS : *La 246 GTS, version décourvrable de la 246 GT, est pourvue d'un panneau de toit amovible qui prend place derrière les sièges. Très fiables et faciles, les 246 GTS et 246 GT conviennent à un usage quotidien.*

Ferrari 365 GT 2+2

Une fois encore, Ferrari choisit Paris pour dévoiler un nouveau modèle d'importance : la 365 GT 2+2. Pininfarina a conçu un imposant coupé 2+2 très confortable. Le nez élégamment profilé s'achève par une calandre de forme elliptique. Feux de position et clignotants sont insérés dans les demi pare-chocs chromés, sous un carénage en plastique très résistant. Les phares, implantés dans un renfoncement des ailes, sont sur certains marchés (en Angleterre notamment) protégés par un carénage en Plexiglas. Les amples portières offrent un accès aisé aux places arrière. Les vitres de custode, très vastes pourtant, ne s'ouvrent pas ; la grande lunette arrière plane est équipée d'un système de désembuage électrique. Les six feux arrière sont séparés des quatre pots d'échappement chromés par un pare-chocs enveloppant. Le couvercle de la malle s'ouvre au moyen d'une commande située derrière le siège du conducteur ; sous le plancher de ce coffre – le plus vaste de toutes les Ferrari produites jusqu'alors – se trouvent la roue de secours et les deux réservoirs de carburant.

Le moteur 4,4 litres est celui de la 365 California ; il est accolé à une magnifique boîte à cinq rapports, elle-même reliée au différentiel monté sur le châssis par le biais d'un tube de réaction en aluminium. Compresseur de climatiseur, pompe d'assistance de direction, pompe à eau et alternateur sont situés à l'avant du moteur. Le liquide de direction assistée possède son propre petit échangeur de chaleur ; deux allumeurs Marelli sont placés à l'arrière des arbres à cames. L'empattement est le même que

CI-DESSOUS : *Les lignes élégantes et élancées de la grosse Ferrari 365 GT 2+2 ménagent un vaste espace intérieur pour le conducteur et trois passagers. Cet exemplaire est équipé de roues à rayons Borrani (en option).*

CARACTÉRISTIQUES	365 GT 2+2
MOTEUR	V12, 4390 cm³
PUISSANCE	320 ch à 6600 tr/min
TRANSMISSION	Boîte manuelle 5 vitesses
CHÂSSIS	Acier tubulaire
SUSPENSION	AV et AR à roues indépendantes
FREINS	À disques
VITESSE MAXIMUM	245 km/h
ACCÉLÉRATION	0-100 km/h : 7,5 s 0-160 km/h : 15,7 s

celui de la 330 2+2 (2,65 m), mais les voies sont plus larges. Les nouveaux pneumatiques Michelin 200-VR 15 «tubeless», très efficaces, chaussent généralement des roues alliage à dix trous, des Borrani à rayons étant proposées en option. Les dernières 365 GT 2+2 seront équipées de roues de type Daytona à cinq branches. Le freinage est assuré par quatre disques ventilés, et, pour la première fois sur une 2+2 de la marque, la suspension arrière est à roues indépendantes. Le train arrière est en outre doté d'un correcteur d'assiette oléopneumatique, mis au point par Ferrari en collaboration avec la société néerlandaise Koni.

L'équipement intérieur de cette grosse automobile est très fourni; outre le compteur de vitesse et le compte-tours, les témoins de pression d'huile et de température, l'instrumentation comprend une horloge, un ampèremètre et un indicateur de température d'huile moteur (dont il est rare de voir bouger l'aiguille lors d'un bref trajet hivernal). Sur les premiers exemplaires, les déflecteurs avant sont à commande électrique; on en reviendra ensuite à une commande manuelle (tout en gardant le principe de l'ouverture par rotation). Les premières 365 2+2 sont les dernières Ferrari à posséder une pompe électrique qui nécessite d'être activée avant le lancement du moteur et éteinte une fois que celui-ci tourne correctement (système autrefois appelé «Autoflux»).

Pour une voiture aussi lourde et volumineuse, la 365 se signale par l'excellence de son comportement routier. Elle est très sûre, très stable jusqu'à sa vitesse maximale (dépassant les 240 km/h), et son moteur est très docile. On serait tenté de dire que c'est bien la moindre des choses, mais un tel niveau de sophistication est encore nouveau alors pour une Ferrari.

Production	Dates	Unités
365 GT 2+2	1967-1971	800

CI-DESSUS : *La même 365 GT 2+2. La longue poupe permet de ranger un volume de bagages satisfaisant.*

CI-DESSOUS : *Le poste de conduite de la 365 GT 2+2.*

Ferrari 365 GTB/4

Cette extraordinaire automobile est plus connue sous le nom de «Daytona», que lui a valu l'écrasante victoire de Ferrari aux 24 Heures de Daytona (en Floride), en janvier 1967 – les deux premières places revenant à la légendaire 330 P4, et la troisième à une 412P.

Dévoilée au Salon de Paris 1968, la 365 GTB/4 va aussitôt s'affirmer comme la voiture de série la plus rapide du monde (et avec ses 352 ch, comme l'une des plus puissantes aussi). Cette berlinette, taillée à la perfection pour les amoureux de la conduite automobile, leur offre toutes les sensations dont ils peuvent rêver au volant. Rares sont ceux qui réussiront à maîtriser un aussi fougueux étalon sans remonter leurs manches ! Lourde, pataude même jusqu'à 110 km/h, elle révèle toute sa magie à partir de 160 km/h. Chronométrée sur route à plus de 275 km/h en 1971, elle donne l'exemple parfait de l'incroyable stabilité d'une Ferrari en ligne droite, et procure une confiance absolue à des vitesses très, très élevées. Sous le capot est tapi un V12 double arbre ouvert à 60°, d'une cylindrée de 4,4 litres, doté de six carburateurs double corps Weber (verticaux) et d'une lubrification par carter sec. Ferrari a jugé inutile de pourvoir une voiture aussi sportive d'une direction assistée, que bien des possesseurs auraient pourtant appréciée. La transmission s'effectue via un tube de réaction et un ensemble boîte-pont à cinq rapports (système «transaxle»). Le châssis est une structure tubulaire en acier ; la suspension à quatre roues indé-

CARACTÉRISTIQUES	365 GTB/4 et GTS/4
MOTEUR	V12, 4390 cm³
PUISSANCE	352 ch à 7500 tr/min
TRANSMISSION	Boîte manuelle à 5 rapports
CHÂSSIS	Acier tubulaire
SUSPENSION	AV et AR à roues indépendantes
FREINS	À disques
VITESSE MAXIMUM	278 km/h
ACCÉLÉRATION	0-100 km/h : 6,2 s 0-160 km/h : 12 s

pendantes avec barre antiroulis fait appel à des quadrilatères déformables, des ressorts hélicoïdaux et des amortisseurs hydrauliques télescopiques. Les deux sièges baquets tendus de cuir Connolly assurent un excellent maintien; les bagages disposent d'une place étonnante dans la malle et derrière les sièges. Cette magnifique voiture de grand tourisme abat sans sourciller des distances de 800 km et plus par jour.

Les lignes, superbes, sont dues à Pininfarina, la construction étant assurée par Scaglietti. Capot, couvercle de malle et panneaux de portières sont en aluminium. Sur les premiers exemplaires, les groupes optiques protégés par un carénage de Plexiglas ajoutent à la fluidité de la proue – la réglementation américaine imposera ensuite l'adoption de phares escamotables.

La 365 GTS/4, version décapotable fort rare de la Daytona, est très recherchée des collectionneurs.

De 1971 à 1973, Ferrari prépare quinze Daytona de compétition. Elle s'illustreront jusqu'en 1979 au niveau international, au Mans et dans d'autres épreuves d'endurance notamment.

La gamme Ferrari comprend toujours une «grosse berlinette» à l'aune de laquelle sont jugées toutes les autres. La Daytona sera la dernière voiture de ce type à moteur à l'avant.

Production	Dates	Unités
365 GTB 4	1968-1973	1284
365 GTS/4	1969-1973	122

PAGE CI-CONTRE : *Une 365 GTB/4 (châssis n° 16713), au nez équipé d'une barre de protection non standard.*
CI-DESSOUS : *Ferrari a produit des « cabriolets Daytona », mais dans les années 1980 des spiders comme celui-ci ont été obtenus en décapitant des coupés...*

Ferrari 365 GTC/4

Dévoilée en octobre 1971 au Salon de Paris, la 365 GTC/4 («C» pour «coupé», «4» pour «quatre arbres») dessinée par Pininfarina présente un style original, marqué par des lignes tendues et par un pare-chocs en caoutchouc noir entourant la calandre.

Ce modèle Ferrari atypique se situe entre une berlinette et un coupé 2+2. Les généreux sièges avant sont habillés de cuir Connolly – sur les premiers exemplaires, une gamme d'assises en tweed est également proposée. Les sièges arrière, eux aussi disponibles avec inserts en tweed, se replient pour révéler une plate-forme bien agencée sur laquelle peuvent être sanglés des bagages. La console centrale, où se dresse le levier de vitesses, est recouverte d'une matière plastique plus digne d'une cuisine que de l'intérieur d'une Ferrari (de nombreux acquéreurs la feront habiller de cuir).

Le châssis est en tubes d'acier, dans la tradition Ferrari ; la carrosserie, en acier, est réalisée à Turin par Pininfarina ; les suspensions avant et arrière sont à roues indépendantes, et le train arrière est équipé d'un correcteur d'assiette Koni. Le freinage, assuré par quatre disques ventilés, est moins sensible au fading que celui de la Daytona. La direction bénéficie d'une assistance ZF aussi précise que bienvenue.

Le V12 de 4,4 litres partage le vilebrequin et les pistons de la Daytona (alors produite depuis près de trois ans), mais le carter est humide, les culasses différentes et les six carburateurs double corps Weber (38DCOE) horizontaux. Cette dernière caractéristique, ainsi que le positionnement des collecteurs d'admission, réduisent la hauteur du moteur et permettent donc d'adopter une ligne de capot plus basse. Quand les stylistes imposent leurs vues aux ingénieurs, le résultat est parfois des plus heureux. La boîte cinq vitesses formant bloc avec le moteur est reliée au différentiel monté sur le châssis par un imposant tube de transmission.

Proposée sans options à la clientèle, la 365 GTC/4 est richement équipée, de l'air conditionné notamment. De gros pneus Michelin à carcasse radiale chaussent des jantes alliage à écrou rapide. À cette époque cependant, les clients commencent à regimber à l'idée de frapper à coups de marteau sur des pièces de leurs belles voitures, et le législateur juge que ces gros écrous présentent un danger pour les piétons, aussi la GTC/4 sera-t-elle l'une des dernières Ferrari ainsi équipée.

CI-CONTRE : *L'habitacle d'un 365 GTC/4 avec sièges en cuir et écossais ; la console est indigne d'une voiture de cette classe. La masse de la boîte de vitesses sépare le conducteur du passager.*

CI-DESSUS : *Ferrari 365 GTC/4 (châssis n° 15709).* À DROITE : *4,4 litres, carter humide et six Weber double corps horizontaux.*

CARACTÉRISTIQUES	365 GTC/4
MOTEUR	V12 à 60°, 4390 cm³
PUISSANCE	330 ch à 6200 tr/min
TRANSMISSION	Boîte manuelle à 5 rapports
CHÂSSIS	Acier tubulaire
SUSPENSION	AV et AR à roues indépendantes
FREINS	À disques
VITESSE MAXIMUM	245 km/h
ACCÉLÉRATION	0-100 km/h : 7,6 s 0-160 km/h : 19,3 s

Il est dommage que cette automobile sereine et très agréable à conduire n'ait pas fait l'objet de développements ultérieurs, car forte de ses valeurs traditionnelles, elle aurait magnifiquement complété les sportifs modèles « Boxers ».

Production	Dates	Unités
365 GTC/4	1971-1972	500

Ferrari 365 GT4 2+2, 400, 400i et *412*

Cette création Pininfarina dévoilée au Salon de Paris 1972 est une version étirée de la 365 GTC/4, dont la production cesse à peu près lorsque débute celle de la 2+2. Quatre adultes y prennent place, mais le volume arrière du coupé 2+2 sera plutôt utilisé pour poser des bagages ou des vêtements. Cette voiture offre une excellente visibilité et une généreuse garde au toit à tous ses occupants. En conduite rapide, le réservoir de carburant, de 120 litres, permet de parcourir quelque 420 km au volant de cette lourde automobile. La boîte cinq vitesses forme bloc avec le moteur, et l'arbre de transmission est contenu dans un tube.

La suspension à quatre roues indépendantes est plutôt ferme. La cylindrée du V12 à quatre arbres à cames en tête, initialement de 4,4 litres, est portée à 4,8 litres en 1976 (l'appellation devient 400 GT). Par ailleurs, une boîte automatique est proposée pour la première fois par Ferrari (400 Automatic). Cette transmission à trois rapports est en fait une boîte d'origine General Motors très comparable à celle qu'emploie Rolls-Royce. Sièges et planche de bord sont abondamment garnis de cuir Connolly.

Le rugissement des six Weber double corps et le hurlement des douze cylindres aux régimes élevés donnent un caractère très sportif à cette imposant coupé 2+2. Fermement suspendue, la grosse Ferrari dévoile un comportement routier de grande qualité. Comme c'est le cas pour maintes autres Ferrari, le conducteur a l'impression que son bolide est plus petit que dans la réalité. La vitesse de pointe supérieure à 240 km/h est plus qu'honorable pour une automobile de près de deux tonnes (disposant tout de même de plus de 340 ch sous le capot).

CI-DESSOUS : *Ferrari 365 GT4 2+2 (châssis n° 17127). Les vastes surfaces vitrées assurent une excellente visibilité. Les pare-chocs en caoutchouc sont novateurs en 1972.* PAGE CI-CONTRE : *La Ferrari 400 Automatic ne possède plus que quatre feux arrière.*

CI-DESSOUS : *L'habitacle de la première 400 Automatic livrée au Royaume-Uni. La commande de boîte automatique (une General Motors à trois rapports) semble incongrue dans une Ferrari.*

Un système d'injection de carburant est adopté en 1979 : le modèle prend alors le nom de 400i. Pour la première fois, Ferrari ne recourt pas à des carburateurs Weber ; la consommation et le respect des normes antipollution s'en trouvent fort bien. La plus grosse différence réside dans le bruit perçu de l'intérieur de l'habitacle, désormais beaucoup plus « civilisé ». La version boîte cinq vitesses est toujours disponible, mais seulement avec un rapport de 1:6, ce qui montre l'évolution suivie par le gros coupé 2+2. Au cours de la décennie écoulée depuis le lancement de la 365 GT4 2+2, les modifications extérieures ont été minimes. Le nombre des feux arrière s'est réduit de six à quatre, un petit spoiler a fait son apparition à l'avant et l'écrou à démontage rapide des roues a fait place à cinq goujons.

Au Salon de Genève 1985 apparaît la 412, ultime version du modèle. La cylindrée du moteur est portée à 5 litres, l'ABS est adopté en série, et si la ligne générale ne change pas, le coffre est toutefois rehaussé de 5 cm. Lorsque la production de la 412 cesse, en 1989, cette lignée a dix-sept ans d'existence : il est temps de passer à autre chose.

Production	Dates	Unités
365	1972-1976	525
400	1976-1979	502
400i	1979-1985	1 308
412	1985-1989	576

CARACTÉRISTIQUES	365	400	400i	412
MOTEUR	V12, 4390 cm³	V12, 4823 cm³	V12, 4823 cm³	V12, 4942 cm³
PUISSANCE	320 ch à 6200 tr/min	340 ch à 6500 tr/min	310 ch à 6400 tr/min	340 ch à 6000 tr/min
TRANSMISSION	Boîte manuelle à 5 rapports	Boîte manuelle à 5 rapports/boîte automatique *(pour ces trois modèles)*		
CHÂSSIS	Acier tubulaire	Acier tubulaire	Acier tubulaire	Acier tubulaire
SUSPENSION	AV et AR à roues indépendantes *(tous modèles)*			
FREINS	À disques	À disques	À disques	À disques
VITESSE MAXIMUM	241 km/h	240 km/h	240 km/h	249 km/h
ACCÉLÉRATION	0-100 km/h : 7,5 s 0-160 km/h : 18 s	7,2 s 17,5 s	7,9 s NC	6,7 s 16,1 s

Ferrari 412 (châssis n° 80652), dernier avatar de cette carrosserie. Le V12 de 5 litres délivre 340 ch, la transmission est automatique, le freinage est doté d'un dispositif antiblocage, et ce modèle offre maintes améliorations par rapport aux versions antérieures.

F82 PPC

Ferrari 365 GT4 BB, BB 512 et *BB 512i*

Le prototype de la «Berlinetta Boxer» est dévoilé sur le stand Pininfarina au Salon de Turin 1971 ; il faut attendre le Salon de Genève 1973 pour voir apparaître la BB sur le stand Ferrari. Ce n'est pas la première routière Ferrari à moteur central, mais bien la première grosse berlinette de la marque à adopter un telle architecture.

La solution retenue par Ferrari pour implanter un gros moteur douze-cylindres en position central a consisté à placer le flat-12 (12 cylindres opposés à plat) au-dessus de la boîte de vitesses et du pont. Les arbres de roues sont placés tout près de l'extrémité du moteur. L'embrayage est monté sur le volant moteur. Quatre carburateurs Weber triple corps (40 1F3C) s'alignent au-dessus des lumières d'admission des culasses à deux soupapes par cylindre. L'aspect du moteur à plat évoque celle de deux six-cylindres en ligne reposant sur le flanc et partageant un même vilebrequin. Les quatre arbres à cames en tête sont actionnés depuis l'avant du moteur par deux courroies crantées. Celles-ci doivent être vérifiées tous les 20 000 km et changées tous les 40 000 km, opération exécutée simplement... après dépose du moteur.

La carrosserie dessinée par Pininfarina est réalisée par Scaglietti. La partie centrale fixe est en acier, alors que le grand capot moteur, le capot avant et les portes sont en panneaux d'aluminium. Au-dessus et derrière la lunette arrière verticale, un petit déflecteur crée une dépression qui permet aux carburateurs d'aspirer goulûment l'air (la forme d'ensemble est si aérodynamique que, n'était cet artifice, l'air glisserait sans pénétrer dans le compartiment moteur). Ce petit profil sert aussi de «poignée» pour ouvrir ou fermer le capot moteur. Les six pots d'échappement, surmontés de six feux arrière ronds, rendent l'arrière de la BB aisément reconnaissable. À l'avant, quatre phares escamotables se logent dans des nacelles.

Un pantographe portant le bras d'essuie-glace principal balaie le pare-brise d'un côté à l'autre, cependant qu'un minuscule balai essuie la partie non atteinte par le grand. Les pare-soleil sont d'un type inhabituel : de petits stores à enrouleur se tirent vers le bas et se fixent à l'intérieur du pare-brise au moyen de ventouses. Le levier de vitesses à pommeau noir que l'on actionne dans sa grille chromée est d'aspect familier, tout comme le volant en alliage à jante garnie de cuir. Sur les premiers modèles, les sièges sont tendus de tweed de bel aspect, mais qui ne résiste pas très bien au passage du temps. La planche de bord aux formes carrées intègre des cadrans ronds aux indications rouges. Le châssis est bien évidemment en tubes d'acier, les suspensions sont à quatre roues indépendantes, les ensembles ressorts hélicoïdaux-amortisseurs télescopiques coaxiaux sont jumelés à l'arrière. La 365 BB se révèle plus agile et plus réactive que la Daytona, presque aussi rapide mais pas aussi stable.

CI-CONTRE : *Cette Ferrari GT4 BB sort juste du Motor Show anglais de 1974. La BB est animée par un flat-12 placé à l'arrière.*

CARACTÉRISTIQUES	365 GT4 BB	BB 512	BB 512I
MOTEUR	B12, 4390 cm³	B12, 4942 cm³	B12, 4942 cm³
PUISSANCE	344 ch à 7000 tr/min	340 ch à 6200 tr/min	340 ch à 6000 tr/min
TRANSMISSION	Boîte manuelle à 5 rapports	Boîte manuelle à 5 rapports	Boîte manuelle à 5 rapports
CHÂSSIS	Acier tubulaire	Acier tubulaire	Acier tubulaire
SUSPENSION	AV et AR à roues indépendantes *(tous modèles)*		
FREINS	À disques	À disques	À disques
VITESSE MAXIMUM	274 km/h	274 km/h	274 km/h
ACCÉLÉRATION	0-100 km/h : 5,5 s 0-160 km/h : 11,3 s	6,5 s 13,6 s	5,7 s 13,4 s

Au Salon de Paris 1976, la 365 BB devient BB 512 : moteur 5 litres, roues arrière plus grosses, spoiler avant, prise NACA pour le refroidissement des freins arrière, quatre feux arrière seulement. Les sièges en cuir font depuis quelque temps partie de la dotation de série. Le moteur de plus forte cylindrée rend la conduite plus facile, tout comme les modifications apportées à la sélection des rapports de boîte.

La vitesse maximale et la puissance de la 365 BB comme de la BB 512 vont faire l'objet de controverses : le communiqué de presse initial est par trop optimiste, mais en revanche l'un des essais routiers accomplis par la BB 512 sera faussé par la présence d'eau dans l'essence !

La BB 512i, version ultime de la BB, est dévoilée au Salon de Paris 1981 ; visuellement, les différences sont minimes, mais, comme l'indique son appellation, le nouveau modèle bénéficie de l'injection de carburant. Ses 340 ch le propulsent à 275 km/h. En onze années de carrière, les BB ont conservé un niveau de puissance et de performances à peu près stable, mais les ans ont apporté un raffinement qui s'exprime fort bien au travers de la 512i.

Production	Dates	Unités
365 GT4BB	1973-1976	387
BB 512	1976-1981	929
BB 512i	1981-1984	1007

CI-DESSUS : *Ferrari BB 512i (châssis n° 40331). La Berlinetta Boxer à injection est plus civilisée que ses devancières.* CI-DESSOUS : *L'aménagement intérieur de cette BB 512 de 1979 fait la part belle au cuir et au confort ; la nuit, les instruments s'éclairent en rouge.*

Ferrari Dino 308 GT4 2+2

Ce modèle est présenté au Salon de Paris en octobre 1973. La position de conduite de la GT4 est similaire à celle de la 250 LM – la pédale d'accélérateur est presque sous la colonne de direction. Les sièges sont garnis d'une bande centrale de velours, entourée de plastique, d'un style bien peu Ferrari. Derrière le volant, le tableau de bord semble retomber vers le nez de la voiture, impression accentuée par la forte inclinaison du pare-brise.

La visibilité, excellente vers l'avant et les côtés, est légèrement gênée vers l'arrière par les panneaux qui encadrent la lunette. Les deux petites places arrière montrent que la Porsche 911 n'a pas été absente des préoccupations des concepteurs de la GT4. La carrosserie signée Bertone – c'est la première et la dernière Ferrari de route non dessinée par Pininfarina depuis le milieu des années 1950 – sera produite à Modène par Scaglietti. Elle est en acier, à l'exception des capots avant et arrière an alu. Les formes anguleuses de la GT4 ne font pas l'unanimité, sans doute parce qu'elle est très différente de la berlinette toute en courbes qu'est la Dino 246.

Le moteur de la GT4, lui, ne souffre guère la critique. Ce nouveau huit-cylindres en V inclinés à 90°, à chambres de combustion hémisphériques, reprend les cotes (alésage et course) de la Daytona. Il développe 255 ch à 7 600 tr/min. L'architecture est la même que sur a Dino 246 : le moteur, en position centrale, est implanté transversalement au-dessus de la boîte et du différentiel. La commande des quatre arbres à cames s'effectue au moyen de deux courroies crantées (comme sur la Berlinetta Boxer lancée simultanément).

CI-DESSOUS : *L'un des premiers exemplaires de la Dino 308 GT4 2+2. Les formes anguleuses sont dessinées par Bertone. Le logo Dino figure sur le capot, sur les roues et sur le moyeu du volant.*

CI-CONTRE : *La même 308 2+2 vue de trois quarts arrière.*

CI-DESSOUS : *Une Ferrari 308 GT4 2+2 (châssis n° 13366), seule Ferrari à n'avoir pas été dessinée par Pininfarina depuis le milieu des années 1950. En 1976, la Dino est devenue Ferrari : l'on voit que tous les insignes comportent le cheval cabré.*

Les suspensions à double wishbone et les Michelin 205/70 VR14 à carcasse radiale procure une excellente tenue de route à la GT4, mais quand elle atteint ses limites (ce qui n'est pas fréquent), le décrochage est parfois brutal, sur le mouillé en particulier.

Dans le courant de l'année 1976, la Dino 308 devient une «vraie» Ferrari, ce qui implique le remplacement des logos Dino par des écussons à l'effigie du cheval cabré. La position de conduite est améliorée, et à l'avant la grille noire s'élargit pour intégrer désormais les antibrouillards. Des roues alliage à cinq branches sont adoptées ; la largeur des jantes est de 6,5 pouces, ou en option de 7,5 pouces. Ces roues plus larges alourdissent notablement la direction aux très faibles allures, mais dans l'ensemble elles mettent encore mieux en valeur les qualités d'un châssis déjà exceptionnel.

La finition de la GT4 est assez médiocre, et pourtant Ferrari, comme tous les autres constructeurs de la fin des années 1970, accomplit de grands efforts dans le domaine de la résistance à la corrosion.

La 308 GT4 est la première d'une lignée de Ferrari V8 appelée à constituer le gros de la production de la marque. Lorsque la 308 s'est substituée à la 246, la plupart des observateurs ont été déçus par son aspect, mais alors que la Mondial a disparu, la 308 GT4 est bel et bien le petit coupé 2+2 dont les passionnés gardent le souvenir le plus ému.

Production	Dates	Unités
Dino 308 GT 2+2	1973-1980	2 826

CARACTÉRISTIQUES	DINO 308 GT4 2+2
MOTEUR	V8 à 90°, 2 926 cm^3
PUISSANCE	255 ch à 7 600 tr/min
TRANSMISSION	Boîte manuelle à 5 rapports
CHÂSSIS	Acier tubulaire
SUSPENSION	AV et AR à roues indépendantes
FREINS	À disque
VITESSE MAXIMUM	248 km/h
ACCÉLÉRATION	0-100 km/h : 7,2 s 0-160 km/h : 18,1 s

Ferrari 308 GTB/GTS, Quattrovalvole et *328*

En octobre 1975, au Salon de Paris, sont dévoilées les lignes d'une berlinette qui plus que toute autre va contribuer à répandre l'emblème du *cavallino rampante* : de 1975 à 1989, cette silhouette sera en effet arborée par plus de vingt mille automobiles fortes de toutes sortes de motorisations. Pininfarina a conçu cette berlinette deux-places en reprenant le moteur de la 308 GT4 2+2 (doté pour la circonstance d'un carter sec). Le châssis est d'une type traditionnel, en tubes d'acier, mais la belle carrosserie est en polyester. Des voitures habillées de plastique renforcé de fibre de verre ont déjà été produites, mais aucune n'a encore atteint un tel niveau de qualité. Malheureusement, pour la plupart des clients potentiels ce matériau évoque les autos en kit; deux ans après le lancement, Scaglietti entreprend de carrosser les GTB en acier. Plus lourdes, elle vont en outre perdre leur carter sec. La GTB à carrosserie acier est bientôt rejointe par une version spider, baptisée 308 GTS.

Le V8 double arbre de 3 litres de cylindrée ne subira guère de modifications par rapport à celui de la GT4 (hormis le changement carter sec/carter humide) jusqu'en mars 1981. La législation antipollution impose alors le remplacement des quatre carburateurs Weber double corps par un système d'injection électronique Bosch K-Jetronic.

La 308 GTBi/GTSi n'est plus que l'ombre d'elle-même : elle a perdu près de quarante chevaux dans l'aventure! Fort heureusement, l'un des dirigeants de Ferrari, Eugenio Alzati, va non seulement percevoir le problème rencontré par la plus belle voiture du monde mais surtout décider d'y porter remède. En octobre 1982, une version à quatre soupapes par cylindre («Quattrovalvole») du V8 de 3 litres vient restaurer l'honneur et la puissance de la 308.

La première 308 GTB est chaussée de Michelin XWX 205/70 VR 14, la 308 GTBi de Michelin TRX (qui nécessitent des jantes spéciales et ne peuvent donc être remplacés que par les mêmes modèles). Sur la GTB comme sur la GTBi, l'on peut aussi disposer en option de Pirelli P7 «taille basse» sur roues

CI-DESSOUS : *La première Ferrari 308 GTB « conduite à droite » (châssis n° 19149).*

CARACTÉRISTIQUES	308 GTB/GTS	GTBI/GTSI	QV	328 GTB/GTS
MOTEUR	V8 à 90°, 2926 cm³	V8 à 90°, 2926 cm³	V8 à 90°, 2926 cm³	V8 à 90°, 3185 cm³
PUISSANCE	255 ch à 7600 tr/min	214 ch à 6600 tr/min	240 ch à 7000 tr/min	270 ch à 7000 tr/min
TRANSMISSION	Boîte manuelle à 5 rapports *(tous modèles)*			
CHÂSSIS	Acier tubulaire	Acier tubulaire	Acier tubulaire	Acier tubulaire
SUSPENSION	AV et AR à roues indépendantes *(tous modèles)*			
FREINS	À disques	À disques	À disques	À disques
VITESSE MAXIMUM	246 km/h	237 km/h	254 km/h	254 km/h
ACCÉLÉRATION	0-100 km/h : 6,7 s 0-160 km/h : 15,9 s	8,3 s 22,1 s	6 s 14,3 s	5,8 s 13,8 s

Production	Dates	Unités
308 GTB/S	1975-1980	2897(B) et 3219(S)
GTBi/Si	1980-1982	494(B) et 1743(S)
QV	1982-1985	748(B) et 3042(S)
328 GTB/S	1985-1989	1344(B) et 6068(S)

spéciales de 16 pouces. La 328 lancée en 1986 est équipée de Goodyear NCT sur roues de 16 pouces (des 205/55 à l'avant et des 225/50 à l'arrière).

La 328 représente l'évolution ultime de cette automobile : la cylindrée du moteur est portée à 3185 cm³, sa puissance à 270 ch (obtenus à 7000 tr/min). Le châssis n'a guère évolué depuis 1975. Les freins, excellents, bénéficient en fin de carrière de l'ajout d'un système antiblocage. La 328 se distingue par un avant redessiné, avec un spoiler plus important et un nez plus arrondi qui se fond dans le bouclier presque invisible. Des blocs optiques de taille plus généreuse, intégrant feux de position, clignotants et antibrouillards, prennent place de part et d'autre de la calandre. Cette voiture équipée de rétroviseurs extérieurs à commande électrique, de l'air conditionné, de l'ABS et d'un intérieur tout cuir propose des volumes de rangement honorables, un moteur à la fois docile et puissant, ainsi qu'un superbe niveau de finition. Le plus merveilleux, concernant les Ferrari 328 GTB ou GTS, est que leur caractère et leur charisme n'ont en rien faibli depuis la glorieuse époque des années 1970.

CI-DESSOUS : *Ferrari 308 GTS (châssis n° 34995). Cette version spider de la belle 308 Pininfarina incarne la petite Ferrari des années 1980. Le pavillon est aisément escamoté ou remis en place par une seule personne.*
CI-CONTRE : *Le moteur de la 308 GTB QV (châssis n° 51249) offre moins de bruit, plus de puissance et plus de réactivité.*

Ferrari Mondial 8, QV, 3.2 et *Mondial t*

La première Ferrari Mondial fut une 2 litres quatre-cylindres de course produite à 39 exemplaires de 1954 à 1956. Pinin Farina et Scaglietti réalisèrent tous deux des carrosseries pour cette automobile animée par un moteur de formule 2.

La Mondial 8, elle, apparaît au début de 1980 au Salon de Genève, pour remplacer la 308 GT4 2+2. Pininfarina s'est fort bien acquitté de sa tâche, consistant à donner à un coupé 2+2 empattement long «exactement l'allure d'une Ferrari»! Quiconque achète une Mondial souhaiterait sans doute acquérir une berlinette mais se trouve poussé par des raisons pratiques à choisir un coupé plus gros. C'est la première fois que Ferrari dote le V8 de 3 litres d'une injection électronique (Bosch K-Jetronic), de même type que celle déjà employée sur la 400i douze-cylindres. La Mondial reçoit en outre un allumage électronique Marelli Digiplex, qui procure une plus grande souplesse et réduit la pollution. Avec 214 petits chevaux pour propulser près d'une tonne et demie, la Mondial 8 n'est pas un foudre de guerre. Elle bénéficie cependant d'un équipement et d'une finition de très haut niveau : sièges et planche de bord garnis de cuir Connolly, lève-vitres électriques, air conditionné…

Très habitable, la Mondial dispose de places arrière beaucoup plus spacieuses que celles de la plupart de ses contemporaines. La ventilation et la climatisation, ainsi que la colonne de direction réglable, témoignent d'un raffinement auquel les petites Ferrari n'ont jamais encore habitué la clientèle. Le châssis tubulaire en acier, typiquement Ferrari, présente toutefois cette particularité qu'il est possible d'en déboulonner la moitié postérieure pour déposer l'ensemble moteur-transmission ainsi que la suspension arrière. Cette solution facilite l'assemblage, puis la maintenance de la Mondial. Les suspensions à quatre roues indépendantes font appel à des quadrilatères transversaux munis d'un système antiplongée à l'avant; la direction à crémaillère, non assistée, apporte une superbe stabilité. L'instrumentation, plus complète qu'à l'accoutumée, comprend de multiples voyants signalant d'éventuels problèmes (baisse de niveau d'huile moteur et de boîte, de liquide de refroidissement, de

PAGE CI-CONTRE : *La Ferrari Mondial 8 (châssis n° 33737), plus spacieuse, plus lourde, moins rapide...* CI-CONTRE : *Le cabriolet Mondial 8 de 1984 (châssis n° 50513), un vrai 2+2.*

liquide lave-vitre, dysfonctionnement des feux «stop» et des feux arrière...).

La Mondial est produite au moyen de techniques plus avancées que les Ferrari antérieures : nouvel alliage d'aluminium pour le moteur et le couvercle de coffre, nouvelles méthodes de soudure, emploi abondant de Zincrox, tôle d'acier zinguée mise au point par Ferrari.

À la fin de l'été 1982, la Mondial reçoit le nouveau moteur à quatre soupapes par cylindre. Comme la 308, elle en tire nettement bénéfice. En 1984, la Quattrovalvole est proposée sous forme de cabriolet, dessiné par Pininfarina et assemblé lui aussi par Scaglietti.

Le Salon de Francfort 1985 est fort animé pour Ferrari. Tous les modèles V8 voient leur alésage et leur course augmentés, ce qui porte la cylindrée à 3185 cm³ et la puissance à 270 ch (à 7000 tr/min). La nouvelle Mondial 3.2 est de toute évidence une meilleure voiture que la version 3 litres.

Au Salon de Genève 1989, Ferrari présente la Mondial t, qui marque l'apparition du V8 «quattrovalvole» dans une cylindrée de 3405 cm3. La disposition de ce moteur est désormais longitudinale. Ce moteur est à présent d'une si faible hauteur qu'il semble presque perdu dans son vaste compartiment. La malle arrière conserve toute sa contenance : où donc est passée la boîte de vitesses? Eh bien, elle est restée à sa place. Cette architecture – moteur longitudinal/boîte transversale – a déjà été éprouvée par Ferrari en Formule 1, dans les années 1970. Le «t» de Mondial t signifie transversale. Le centre de gravité se trouve abaissé. Le rapport poids/puissance est amélioré, mais malheureusement un sélecteur de vitesses à commande par câble gâche l'une des caractéristiques les plus chères au cœur des ferraristes. La suspension bénéficie d'un contrôle électronique du tarage des amortisseurs. La direction assistée est un ajout... que l'on remarque à peine.

CARACTÉRISTIQUES	MONDIAL 8	QUATTROVALVOLE*	MONDIAL 3.2*	MONDIAL T*
MOTEUR	V8 à 90°, 2926 cm³	V8 à 90°, 2926 cm³	V8 à 90°, 3185 cm³	V8 à 90°, 3405 cm³
PUISSANCE	214 ch à 6600 tr/min	240 ch à 7000 tr/min	270 ch à 7000 tr/min	300 ch à 7200 tr/min
TRANSMISSION	Boîte manuelle à 5 rapports *(tous modèles)*			
CHÂSSIS	Acier tubulaire	Acier tubulaire	Acier tubulaire	Acier tubulaire
SUSPENSION	AV et AR à roues indépendantes *(tous modèles)*			
FREINS	À disques	À disques	À disques	À disques
VITESSE MAXIMUM	225 km/h	235 km/h	238 km/h	249 km/h
ACCÉLÉRATION	0-100 km/h : 7,3 s 0-160 km/h : 21 s	6,7 s 16,2 s	6,6 s 15,8 s	5,9 s 13,9 s

* y compris la version cabriolet.

Production	Dates	Unités
Mondial 8	1980-1982	703
Quattrovalvole	1982-1985	1774
Mondial 3.2	1985-1989	1797
Mondial t	1989-1992	NC

Ferrari 288 GTO et *Evoluzione*

La création de la 288 GTO résulte de plusieurs motivations : gagner de l'argent, tester des idées nouvelles, gagner des courses et promouvoir le nom de Ferrari en bâtissant une «supercar».

Le nom de 288 GTO fait référence à un moteur 2,8 litres, à huit cylindres, le «O» étant l'initiale d'*omologato* (homologué), ce qui traduit l'intention de Ferrari de faire participer cette 2,8 litres turbo à la catégorie des 4 litres en Groupe B (2855 cm³ que multiplie le coefficient de 1,4 applicable aux moteurs suralimentés donnant une équivalence de 3997 cm³). Dans un esprit plus nostalgique, on retrouve la marque laissée dans les souvenirs par la fabuleuse 250 GTO du début des années 1960. À certains égards, le fait de donner à une voiture n'ayant pas encore fait ses preuves un nom aussi lourd à porter revient à tenter le diable! En réalité, la réglementation du Groupe B sera modifiée, de telle sorte que la nouvelle «GTO» ne courra jamais. Cela ne doit en rien nuire à la réputation de la nouvelle «Supercar» présentée au Salon de Genève 1984 (la même année, la 288 GTO est exposée au Motor Show anglais aux côtés de la Testarossa; toutes les 288 étant d'ores et déjà vendues, la première est presque cachée, alors que la seconde trône sur un podium).

La 288 est issue de la 308 GTB. D'aucuns assurent qu'elles n'ont guère en commun que l'insigne sur le capot, mais ce serait nier les immenses qualités de la GTB dessinée par Pininfarina et la solidité du travail accompli chez Ferrari en matière de mécanique. Harvey Postlethwaite, ingénieur de l'écurie Ferrari de formule 1, a introduit l'usage des matériaux composites au sein de la firme de Maranello; la 288 est la première routière à les expérimenter, à petites doses certes. Une structure composite typique est constituée par un matériau de renfort tel que la fibre de Kevlar, qui, immergé dans une matrice plastique, donne naissance à un nouveau matériau à la fois plus solide et plus léger que l'aluminium. Le châssis et la carrosserie d'une voiture de course moderne sont construits de cette manière, selon un processus de moulage autoclave comprenant notamment du carbone, du Kevlar, du verre, du nomex, des alliages légers, des résines époxydes et diverses colles. Certaines parties de la 288 font appel à de telles méthodes et matériaux afin de réduire le poids et accroître la robustesse de l'ensemble.

Le moteur de la 288 est un V8 à 90°, à quatre arbres à cames et quatre soupapes par cylindre, suralimenté par deux turbos IHI avec deux échangeurs de chaleur Behr, un allumage et une injection électronique Weber-Marelli. Le moteur (bloc et culasses en alliage léger) à refroidissement liquide et lubrification par carter sec est placé longitudinalement dans un châssis tubulaire à treillis. La boîte cinq vitesses (derrière le moteur) tout comme la commande hydraulique de l'embrayage sont issues de la compétition.

Les suspensions, d'origine sportive, comprennent des ressorts hélicoïdaux et des amortisseurs hydrauliques Koni. La carrosserie, qui dérive de celle de la 308 GTB, fait appel aux matériaux composites.

CARACTÉRISTIQUES	288 GTO
MOTEUR	V8 biturbo, 2855 cm³
PUISSANCE	400 ch à 7000 tr/min
TRANSMISSION	Boîte manuelle à 5 rapports
CHÂSSIS	Acier tubulaire
SUSPENSION	AV et AR à roues indépendantes
FREINS	À disques
VITESSE MAXIMUM	304 km/h
ACCÉLÉRATION	0-100 km/h : 5,1 s 0-200 km/h : 15,2 s

La 288 GTO est plus large que la 308 de près de 20 cm, du fait de la monte de Goodyear NCT 10×16 pouces à l'arrière et 8×16 pouces à l'avant – ces gros pneumatiques nécessitent le renflement des ailes.

Le cockpit intègre un arceau de sécurité. Les sièges réglables ne sont pas sans évoquer ceux de la Daytona. Le volant gainé de cuir noir, le levier de vitesses, divers voyants et instruments (à l'exception du témoin de pression de suralimentation et du compteur gradué jusqu'à 320 km/h) proviennent de la 308 GTB. Les accélérations sont si foudroyantes qu'il convient de ne pas brutaliser la pédale d'accélérateur, même sur le sec !

La 288 se trouve donc privée de compétition, mais Ferrari a déjà commencé à développer une version course, baptisée « Evoluzione », au châssis allégé de 40 pour cent, développant 650 ch et capable d'atteindre 370 km/h. Ce prototype, assemblé par Michelotti, constituera la base de la F40.

Production	Dates	Unités
288 GTO	1984-1986	273

CI-CONTRE : *Ferrari 288 GTO, taillée pour la course avec ses 400 ch et sa carrosserie légère. Malheureusement…*

EN HAUT : *L'une des quelques 288 GTO Evoluzione utilisées comme bancs d'essai mobiles pour la mise au point de la F40.*

CI-DESSUS : *Le V8 biturbo de la 288 GTO.*

Ferrari Testarossa, 512 TR et *F 512 M*

Le lancement de la Testarossa, au Salon de Paris 1984, s'effectue en grande pompe, comme il sied à une telle berlinette de grand tourisme. Le nom de «Testarossa» évoque les «Testa Rossa» de compétition de la fin des années 1950. La plupart des couvre-culasse Ferrari sont peints en noir craquelé ou – dans le cas des premiers moteurs Lampredi – finis en aluminium. Toutefois, la 500 Mondial, spider de compétition quatre-cylindres 2 litres, devient 500 Testa Rossa : pour la distinguer de la version précédente moins puissante, elle hérite de couvre-culasse peints en rouge. Cette pratique se poursuivra avec la 250 Testa Rossa à moteur V12, la dernière Ferrari de course à reprendre cette appellation étant la TRI 330 LM, dernière voiture à moteur à l'avant à remporter les 24 Heures du Mans (en 1962).

À Paris, vingt ans plus tard, tout le monde sait ce que fut une Testa Rossa. La nouvelle venue se distingue en fondant les deux mots en un seul : Testarossa. Elle présente des similitudes avec la BB 512i, les différences les plus marquantes résidant dans les nouvelles culasses à quatre soupapes par cylindre (coiffées de rouge, bien évidemment!) et la carrosserie dessinée et assemblée par Pininfarina. Le moteur boxer est conservé, mais il est cette fois fixé avec la suspension arrière à une partie distincte du châssis, qui se «déboulonne» à l'avant du moteur pour faciliter l'entretien. À la place du gros radiateur dans le nez de la BB, on en trouve ici deux, situés dans les flancs de la voiture, en avant des roues arrière. Les prises d'air de ces radiateurs sont incorporées dans les portières et couvertes de lames horizontales. Au niveau du rebord de la portière, ces lames sont réunies par un profil vertical qui accélère le flux d'air vers les radiateurs. La traditionnelle calandre garde son aspect mais non sa fonction : elle ne sert plus qu'à refroidir les freins avant et l'échangeur de chaleur de la climatisation. Le bloc et les culasses du douze-cylindres boxer sont en alliage léger, les pistons et les chemises des cylindres sont en aluminium revêtu de Nicasil. L'injection d'essence est assurée par un système Bosch K-Jetronic.

La carrosserie de la Testarossa est en aluminium, à l'exception de la partie centrale et des potières en Zincrox (acier inoxydable breveté par Ferrari). Le gros (et unique) rétroviseur extérieur n'est pas d'une grande élégance. Les bagages prennent place sous le capot avant et derrière les sièges, dans des valises spécialement faites à la main par Schedoni de Modène.

Après avoir réalisé en l'espace de huit ans les meilleures ventes de toutes les douze-cylindres Ferrari, le modèle bénéficie d'améliorations qui aboutissent – à Los Angeles, en janvier 1992 – au lancement de la 512 TR : nouveaux sièges, divers réaménagements intérieurs, augmentation de 38 ch de la puissance, optimisation des suspensions, nouvelles roues chaussées d'énormes pneumatiques (235/40 ZR 18 à l'AV, 295/35 ZR 18 à l'AR), roue

CI-CONTRE : *La Ferrari Testarossa, une berlinette « ultralarge » dessinée par Pininfarina. De grandes lames masquent les prises d'air des radiateurs logés devant les roues arrière.*

CI-CONTRE : *La F 512 M. Les phares escamotables ont disparu, mais que cette plaque d'immatriculation doit perturber l'écoulement de l'air !* CI-DESSUS : *Le « Bianco » ne sied guère à la Testarossa, qui semble exagérément large.*

CARACTÉRISTIQUES	TESTAROSSA	512 TR	F 512 M
MOTEUR	B12, 4943 cm³	B12, 4943 cm³	B12, 4943 cm³
PUISSANCE	390 ch à 6300 tr/min	428 ch à 6750 tr/min	440 ch à 6750 tr/min
TRANSMISSION	Boîte manuelle à 5 rapports	Boîte manuelle à 5 rapports	Boîte manuelle à 5 rapports
CHÂSSIS	Acier tubulaire	Acier tubulaire	Acier tubulaire
SUSPENSION	AV et AR à roues indépendantes *(tous modèles)*		
FREINS	À disques	À disques	À disques
VITESSE MAXIMUM	291 km/h	312 km/h	315 km/h
ACCÉLÉRATION	0-100 km/h : 6,1 s 0-160 km/h : 12,7 s	5,4 s 10,6 s	5 s 10,2 s

de secours «galette» abandonnée pour accroître la contenance de la malle…

Au Salon de Paris 1994, Ferrari présente la F 512 M, version encore plus puissante, plus légère, dotée de nouveaux phares, d'un antiblocage de freins enclenchable et de nouvelles jantes Speedline.

Production	Dates	Unités
Testarossa	1982-1992	7177
512 TR	1992-1994	NC
F 512 M	1994-	NC

La Ferrari 512 TR (châssis n° 94516) est bien plus qu'une Testarossa relookée. Elle possède plus de puissance, des roues et des freins plus gros, un nouveau nez, de nouveaux sièges… mais plus de roue de secours ! Celle-ci est remplacée par une bombe anticrevaison.

Night Bell
GOODYEAR

Ferrari F40

La F40, dernière automobile à avoir été «commandée» par Enzo Ferrari, doit son appellation au fait qu'elle célèbre le quarantenaire des activités de constructeur de l'*Ingeniere* Ferrari. Durant l'été de 1986, celui-ci aurait déclaré : «Faisons quelque chose de spécial, comme autrefois, pour les célébrations de l'année prochaine.» Dans son esprit, «faire quelque chose» signifie implanter un moteur plus puissant dans une version allégée d'un châssis existant.

Les résultats seront obtenus en moins d'un an : ils bénéficient du développement des 288 GTO Evoluzione, qui testent pendant de longues heures et sur des milliers de kilomètres des V8 suralimentés. Parallèlement, un cabriolet 2+2 à moteur à l'avant, assemblé par Scaglietti, permet d'évaluer l'emploi de matériaux composites dans la construction du châssis. Ce prototype démontre que la robustesse et la légèreté des composites se prêtent à un usage routier. Le prototype 408 à quatre roues motrices animé par un V8 de 4 litres, mis au point par Mauro Forghieri, joue aussi son rôle dans le développement de la F40. Jamais encore Ferrari n'a doté une voiture de série d'une transmission intégrale.

Bien d'autres aspects de ce «banc d'essai roulant» sont inhabituels, comme les panneaux de carrosseries en matériaux composites comprenant fibre de polyamide, polyuréthanne et plastique renforcé de fibre de verre. La F40, qui tire parti de solutions expérimentées sur ces prototypes, mêle tradition et innovation. Le châssis tubulaire est très conventionnel… mais il intègre des panneaux en composites (le coût d'une structure monocoque en composites s'est avéré rédhibitoire). Les suspensions à roues indépendantes font appel à des trapèzes tubulaires en acier haute résistance, à des amortisseurs hydrauliques avec ressorts coaxiaux et à des barres stabilisatrices. Une commande au tableau de bord permet de régler la garde au sol. La direction à crémaillère, non assistée, inspire une

CARACTÉRISTIQUES	F40
MOTEUR	V8 biturbo, 2 936 cm³
PUISSANCE	478 ch à 7 000 tr/min
TRANSMISSION	Boîte manuelle à 5 rapports
CHÂSSIS	Acier tubulaire
SUSPENSION	AV et AR à roues indépendantes
FREINS	À disques ventilés
VITESSE MAXIMUM	324 km/h
ACCÉLÉRATION	0-100 km/h : 4,3 s 0-200 km/h : 11 s

grande confiance. Les freins à disques ventilés commandés par pompe hydraulique, à pistons coaxiaux, sont dépourvus de servo-assistance.

La F40 est la première routière à être pourvue de réservoirs de carburant en caoutchouc double avec mousse antibattement, d'un type que l'on trouve d'ordinaire sur les avions et les bolides de course. La boîte cinq vitesses et le différentiel à glissement limité incorporé sont très proches de ceux de la 288 GTO. Les jantes en alliage léger à démontage rapide seront le plus souvent chaussées de pneumatiques Pirelli P zéro (245/40 ZR 17 à l'AV, 335/35 ZR 17 à l'AR). Il n'y a pas de roue de secours, ni même de moyen de démonter un pneu en cas de crevaison (le conducteur doit s'en remettre à une bombe anticrevaison Agip). Le moteur, d'une cylindrée de 2 936 cm³, est directement dérivé de celui de la 288 GTO. Il se révélera extrêmement fiable. Les lignes presque extrémistes dessinées par Pininfarina sont présentées aux concessionnaires réunis à Maranello en juillet 1987, puis au grand public au Salon de Francfort. La 288 Evoluzione, faisant de fréquentes apparitions dans la presse spécialisée avant juillet 1987, a satisfait la soif d'informations des passionnés de la marque, de sorte qu'avant son lancement, la F40 a bénéficié d'un secret presque absolu.

Qu'on la contemple, qu'on la pilote ou qu'on en rêve simplement, la F40 est une magnifique automobile, apparue sur le marché à un moment où la spéculation s'emballe. Les premières F40 s'arracheront à un prix trois fois supérieur au tarif officiel. Comme toutes les autres voitures, les Ferrari d'occasion étaient autrefois moins coûteuses que les neuves, mais à la fin des années 1960 les chefs-d'œuvre reconnus ont vu leur cours se maintenir mieux que celui de la monnaie. Dans les années 1980, l'idée qu'une automobile peut être un investissement conduit à un vent de folie chez les fans et les spéculateurs. Cette bulle finit par éclater au début des années 1990 : désormais, seuls les plus beaux exemplaires prennent de la valeur avec l'âge.

Production	Dates	Unités
F40	1988-1991	1 315

PAGE CI-CONTRE : *Ferrari F40 (châssis n° 77289).*

EN HAUT : *L'aménagement de l'habitacle est des plus spartiates.*

CI-CONTRE : *Cette vue de trois-quarts arrière met en évidence l'immense aileron.*

Ferrari 348 tb/ts, GTB/S et *Spider*

La 348 est découverte et essayée par les concessionnaires Ferrari à Maranello le 1er septembre 1989, puis présentée au public au Salon de Francfort. Pininfarina a dessiné cette nouvelle «petite» Ferrari en remplacement de la 308, très appréciée mais dont la conception a déjà quatorze ans.

La 348 est la première Ferrari à ne pas comporter un châssis tubulaire complet; elle est bâtie sur un cadre en tôle d'acier, soudé par des robots. La précision d'assemblage s'en trouve améliorée, tout comme la résistance en torsion. Le moteur à carter sec en position longitudinale et la transmission sont fixés à un faux châssis tubulaire – lui-même fixé à l'arrière de la plate-forme principale. La boîte à cinq rapports synchronisés est montée transversalement entre le moteur et l'embrayage, sous le différentiel à glissement limité. Les changements de vitesses «à la Ferrari» ont toujours été très particuliers : un peu lents à froid peut-être, mais d'une précision extraordinaire. Avec la 348 toutefois, la sélection des rapports, qui s'opère par le biais d'un câble, n'impressionne guère. Le moteur V8 de 3,4 litres, à quatre arbres à cames et quatre soupapes par cylindre, développe 300 ch à 7 200 tr/min.

Le bloc moteur et les culasses sont en aluminium, les chemises sont en acier avec surface rapporté en Nicasil. Le refroidissement du moteur est assuré par des radiateurs placés en position centrale, avec prise d'air sur chaque flanc. Allumage et injection sont gérés par un système Bosch Motronic M 2.5. Les suspensions font appel aux techniques habituelles de la marque (triangles superposés, combinés ressorts-amortisseurs). La suspension avant intègre un système antiplongée. La direction est à crémaillère, avec colonne déformable et réglable. Les roues de 17 pouces masquent de gros disques ventilés, qui avec les étriers en alu, l'ABS et la servo-assistance garantissent un excellent freinage. La carrosserie, en acier et aluminium, présente un air de famille certain avec celle de la Testarossa, eu égard notamment aux prises d'air latérales et au traitement de la proue. Ventilation et climatisation sont fort améliorés, quoique d'un usage un peu compliqué (affichage numérique de la température... et seize boutons de commande!). Le nom de la 348 tb fait référence à la cylindrée et à l'architecture du moteur (3,4 litres, 8 cylindres), ainsi qu'à la position (transversale) de la boîte de vitesses et au type même de la voiture, une berlinette.

En même temps que la berlinette, un spider (348 ts) est annoncé. Il est doté d'un pavillon amovible qui pour la conduite «plein soleil» prend place derrière les sièges; grâce à la rigidité accrue du châssis de la 348, cette configuration ne pénalise en rien

CI-CONTRE : *Ferrari 348 Spider (châssis n° 99058).*
La ligne très épurée de ce Spider totalement découvrable est rendue possible par la rigidité du châssis de la 348.

CI-DESSOUS : *Le V8 3,4 litres Ferrari, avec boîte transversale, différentiel à glissement limité et embrayage.*
EN BAS : *Ferrari 348 tb (châssis n° 82982).*

CARACTÉRISTIQUES	348 TB et TS	GTB/S et SPIDER
MOTEUR	V8, 3405 cm³	V8, 3405 cm³
PUISSANCE	300 ch à 7 200 tr/min	300 ch à 7 200 tr/min
TRANSMISSION	Boîte manuelle à 5 rapports	Boîte manuelle à 5 rapports
CHÂSSIS	Plate-forme et tubes d'acier	Plate-forme et tubes d'acier
SUSPENSION	AV et AR à roues indépendantes	AV et AR à roues indépendantes
FREINS	À disques	À disques
VITESSE MAXIMUM	275 km/h	275 km/h
ACCÉLÉRATION	0-100 km/h : 5,9 s 0-160 km/h : 13,3 s	5,6 s 13 s

la petite Ferrari. Le réservoir de carburant, d'une contenance de 95 litres, est placé derrière les sièges, devant le moteur, situation optimale pour réduire les effets sur la tenue de route d'un remplissage plus ou moins important de ce réservoir.

En 1993, changement d'appellation : les 348 tb et ts deviennent 348 GTB et GTS, et gagnent 20 ch dans l'affaire. Le 348 Spider, dévoilé au monde à Hollywood en février 1993, est proposé aux adeptes de l'automobilisme « cheveux aux vent ».

Production	Dates	Unités
348 TB *et* TS	1989-1993	1 315
GTB/S *et* Spider	1993-1994	1 797

Ferrari F355 Berlinetta, Spider et *GTS*

Le mode d'appellation des modèles Ferrari évolue au fil des ans : ainsi, le nom de la F355 signifie que cette berlinette est animée par un moteur de 3,5 litres à 5 soupapes par cylindre. L'augmentation de la cylindrée par rapport au 3,4 litres de la 348 ne semble guère importante, mais l'accroissement de la puissance est de 60 ch (bien des petites citadines s'en contentent pour vaquer à leurs occupations quotidiennes…).

Le moteur de la 355 est pourvu de chemises en acier aux surfaces rapportées en Nicasil, ainsi que de pistons en alliage forgé reliés au vilebrequin par le truchement de bielles en alliage de titane – solution d'ordinaire réservée aux monstres de formule 1. Les culasses sont directement issues de la compétition, avec leurs trois soupapes d'admission et deux soupapes d'échappement par cylindre. Les quatre arbres à cames en tête actionnent des poussoirs hydrauliques, et les ressorts de soupape sont conçus pour fonctionner à 10000 tr/min. La gestion du moteur par le système Bosch M 2.7, un nouvel échappement (avec trois convertisseurs catalytiques) favorisant la respiration du moteur aux régimes élevés et un taux de compression de 11,1 : 1 se conjuguent pour conférer à la F355 une puissance de plus de 108 ch par litre, ce qui est époustouflant pour une routière.

Le châssis conserve la plate-forme en acier embouti de la 348, avec structure tubulaire portant le moteur, la transmission et la suspension arrière. La boîte de vitesses compte désormais six rapports à l'étagement serré ; l'embrayage, renforcé, se loge dans un carter en alliage de magnésium. Les amortisseurs Bilstein se règlent automatiquement et en permanence, en fonction de la vitesse et des conditions de route, grâce à une série de capteurs électroniques. En conséquence, le comportement routier de la F355 est considérablement amélioré par rapport à celui de la 348.

Certaines évolutions majeures ne se voient guère : il en va ainsi du soubassement de la F355. La forme du dessous de caisse est telle qu'au lieu de perturber la tenue de route à vitesse élevée par un accroissement de la pression de l'air, il crée un effet de sol qui plaque littéralement la voiture à la route. La direction à crémaillère de la F355 est assistée ; l'ABS est fourni, mais se désactive à volonté. Les lignes de la carrosserie sont subtilement adoucies. Les lames des prises d'air latérales ont disparu, les feux arrière ronds sont d'une grande sobriété. Outre la berlinette, la F355 est déclinée sous forme GTS à toit escamotable et, depuis mai 1995, Spider (cabriolet), dont la capote dessinée par Pininfarina et les sièges tendus de cuir Connolly sont à commande électrique.

Production	Dates	Unités
F355	1994-	NC

CI-DESSOUS : *Ferrari F355 GTS (à toit rigide amovible) en pleine action sur le circuit anglais de Goodwood, où le V8 de 3,5 litres à cinq soupapes par cylindre fait des merveilles.*

CI-DESSOUS : *F355 Berlinetta (châssis n° 102296). La plus impressionnante « petite » automobile du monde.*

CI-CONTRE : *F355 Spider. Le châssis à plate-forme d'acier de ce cabriolet est d'une rigidité supérieure aux structures tubulaires de bien des Ferrari d'antan.*

CARACTÉRISTIQUES	F355
MOTEUR	V8, 3496 cm^3
PUISSANCE	380 ch à 8250 tr/min
TRANSMISSION	Boîte manuelle à 6 rapports
CHÂSSIS	Plate-forme et tubes d'acier
SUSPENSION	AV et AR à roues indépendantes
FREINS	À disques ventilés
VITESSE MAXIMUM	295 km/h
ACCÉLÉRATION	0-100 km/h : 4,8 s 0-160 km/h : 10,6 s

Ferrari 456 GT 2+2

À la fin de l'été 1992, le garage Francorchamps fête ses quarante ans d'activité en tant que concessionnaire Ferrari. Le propriétaire fondateur de la concession, Jacques Swaters, est honoré par la présentation lors de cette manifestation de la nouvelle Ferrari 456 GT 2+2. Le nom de cette superbe automobile de grand tourisme en revient à une ancienne pratique de la marque, le nombre 456 faisant référence à la cylindrée unitaire du V12 à 65°. Pininfarina, qui donne là sa première Ferrari à moteur à l'avant entièrement nouvelle depuis deux décennies, a une fois encore accompli des merveilles.

Le style de la 456 associe histoire et modernité : de trois quarts arrière, il rappelle des modèles du passé, tandis que la proue est résolument de son temps. L'air chaud s'échappe du compartiment moteur par deux grosses écopes situées derrière les roues avant. Les jantes à cinq branches apparues sur la 512 TR sont reprises par la 456, chaussées de pneumatiques 255/45 ZR 17 à l'AV et 285/40 ZR 17 à l'AR. Sous le bouclier arrière est intégré un élément aérodynamique qui opère à partir d'une certaine vitesse pour améliorer la tenue de route. La carrosserie en aluminium (à l'exception des nacelles de phares et du capot avant en matériaux composites) est assemblée chimiquement au châssis en acier au moyen d'un matériau spécial (FERAN). Le châssis est en tubes d'acier dans la tradition Ferrari; les suspensions à triangles superposés et combinés ressorts-amortisseurs se règlent automatiquement (et électroniquement) pour assurer un maximum de confort et de sécurité. La suspension arrière est en

CI-DESSOUS : *La 456 GT (châssis n° 98402), une Ferrari quatre-places de grand tourisme rapide à moteur à l'avant, animée par un puissant V12 de 5,5 litres.*

outre dotée d'un correcteur d'assiette. La direction à crémaillère ZF est à assistance variable en fonction de la vitesse.

Le V12 de 5,5 litres en aluminium, ouvert à 65°, est entièrement nouveau. Quatre arbres à cames en tête actionnent quatre soupapes par cylindre. La lubrification par carter sec est conçue de façon à limiter la hauteur du capot. Ce moteur est le plus gros (en cylindrée) jamais produit par Ferrari, si l'on excepte les 612 et 712 Can-Am de course des années 1970. La boîte à six rapports forme bloc avec le pont arrière. La 456 GT revendique une vitesse maximale de plus de 300 km/h.

Une boîte automatique à quatre rapports est proposée à partir de 1996. Les ventes s'en trouvent fort bien, car moins d'un quart des exemplaires du modèle auquel la 456 a succédé étaient commercialisés avec une boîte manuelle... La transmission automatique à trois rapports qu'employaient les 400, 400i et 412 était une boîte General Motors également utilisée par Rolls-Royce pour ses V8 puissants mais tournant à faible régime. La nouvelle transmission a dû être développée spécifiquement pour la 456, non seulement parce que le V12 de 442 ch monte volontiers dans les tours, mais aussi en raison de la configuration particulière de l'ensemble boîte-différentiel. Conçue en collaboration avec la firme britannique FFD Riccardo, cette transmission est construite aux États-Unis par une filiale.

CARACTÉRISTIQUES	456 GT 2+2
MOTEUR	V12 à 65°, 5474 cm³
PUISSANCE	442 ch à 6250 tr/min
TRANSMISSION	Boîte manuelle à 6 rapports, boîte auto à 4 rapports
CHÂSSIS	Acier tubulaire
SUSPENSION	AV et AR à roues indépendantes
FREINS	À disques
VITESSE MAXIMUM	299 km/h
ACCÉLÉRATION	0-100 km/h : 5,4 s 0-160 km/h : 11,6 s

Production	Dates	Unités
456 GT 2+2	1992	NC

Ferrari F50

C'est la troisième «supercar» produite par Ferrari en dix ans. Naturellement, elle est plus évoluée techniquement, plus rapide et plus coûteuse que les modèles précédents. La F50 est sans aucun doute ce qui se fait de plus proche de la technologie propre à la compétition automobile moderne – les 288 et F40 étaient plus étroitement liées aux routières de la marque. Avec le recul, l'on se rend compte que Ferrari aurait pu vendre quelques 288 de plus sans nuire à son prestige, et quelques F40 de moins (il existe plus de F40 que de Daytona, par exemple). L'objectif affiché, de limiter la production de la F50 à 349 unités, assure la rentabilité de l'opération sans créer un situation de pléthore.

Le succès de la 288 et de la F40, s'ajoutant aux demandes exprimées par la clientèle, ont conduit Ferrari à concevoir la F50. Celle-ci est pourvue d'un V12 (la F60 recevra-t-elle un V10?), qui puise ses origines dans la formule 1. Ce moteur, dont le bloc est en fonte, joue un rôle porteur; il est boulonné à l'arrière du châssis en fibre de carbone.

Sur cette photographie prise en 1996 à Silverstone, l'on voit l'une des premières F50. Pininfarina a beaucoup travaillé en soufflerie pour tracer ces lignes.

Le carter d'embrayage et de transmission, directement boulonné à l'arrière du moteur, procure des points de fixation pour la suspension arrière et la carrosserie. Les suspensions, à triangles superposés, et barre antiroulis à l'avant comme à l'arrière, font appel à un système de basculeurs actionnant les combinés ressorts-amortisseurs. Les amortisseurs, mis au point en collaboration avec Bilstein, sont gérés électroniquement en fonction des accélérations, des mouvements de la direction et de l'attitude de la voiture. Ferrari a consenti tous les efforts pour minimiser les masses non suspendues, en employant des matériaux tels qu'un alliage d'aluminium spécial (forgé à chaud) et du titane.

Les roues à cinq branches, réalisée d'une seule pièce en magnésium avec écrou de fixation unique, ont des dimensions imposantes : 18 × 8,5 pouces à l'avant, 18 × 13 pouces à l'arrière. À l'intention de la F50, Goodyear a mis au point un pneumatique spécial, le «Fiorano». Le châssis, entièrement réalisé en fibre de carbone (Cytec Aerospace), ne pèse que 102 kg. Le réservoir en caoutchouc d'une capacité de 105 litres est placé très bas entre l'arrière des sièges et le moteur, au sein même du châssis en carbone.

Le moteur est directement issu du 3,5 litres atmosphérique de F1 de 1990 – la cylindrée a été portée à 4,7 litres. Les quatre arbres à cames en tête actionnent cinq soupapes par cylindre. La lubrification est à carter sec, le taux de compression est de

CARACTÉRISTIQUES	F50
MOTEUR	V12, 4698 cm³
PUISSANCE	520 ch à 8500 tr/min
TRANSMISSION	Boîte manuelle à 6 rapports
CHÂSSIS	Carbone/composites
SUSPENSION	AV et AR à roues indépendantes
FREINS	À disques ventilés
VITESSE MAXIMUM	325 km/h
ACCÉLÉRATION	0-100 km/h : 3,9 s 0-1000 m : 21,7 s

Production	Dates	Unités
F50	1995-	NC

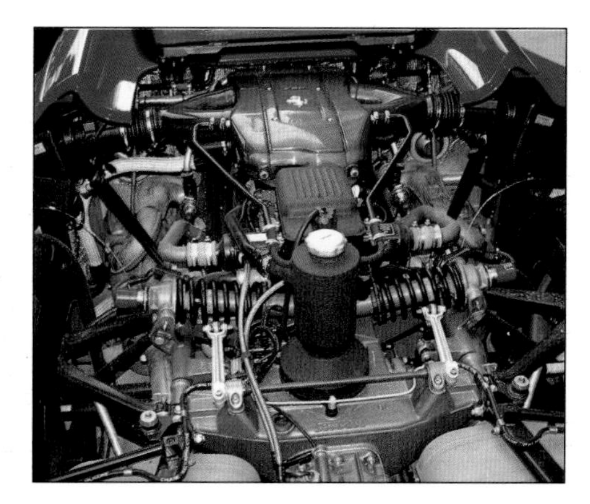

CI-DESSOUS : *Ferrari F50 (châssis n° 103462), ici en mode « barchetta », avec le pavillon enlevé et les appuie-tête profilés en place.*

CI-CONTRE : *Le compartiment moteur et la suspension arrière.*

11,3 : 1 et la gestion du moteur est assurée par un système Bosch Motronic 2.7. Les pistons en alliage forgé et les bielles en titane, le carter de boîte en magnésium et la carrosserie en matériaux composites traduisent bien les origines de la F50.

Cette carrosserie, évidemment dessinée par Pininfarina, est parfaitement fonctionnelle, mais l'on y retrouve des échos de glorieuses Ferrari de course du passé. La tenue de route exceptionnelle est favorisée par l'effet de sol qu'induit le plancher ainsi que par l'aileron arrière. Les sorties d'air chaud des radiateurs contribuent également à maintenir le poids sur l'avant. La F50 a ceci de particulier qu'elle est à la fois une berlinette (avec son hard-top en place) et une barquette (pourvue de deux « roll bars » et d'appuie-tête profilés). Le cockpit est somptueusement high-tech, avec ses sièges en composites habillés de cuir et ses beaux moulages en fibre de carbone. Le tableau de bord comprend des instruments gérés par microprocesseur, et un affichage à cristaux liquides du rapport engagé !

Glossaire / Index

Les chiffres en gras renvoient aux illustrations.

Assistenza Cliente : Département maintenance de Ferrari à Modène, qui ferma ses portes à la fin des années 1970, quand fut mis en place un meilleur réseau de concessions ; ***22***

Barchetta : Barquette ; voiture de course deux-places découverte ; ***79***

Berlinetta : Berlinette ; petite deux-places à carrosserie fermée ; ***8, 16, 17, 22, 26, 30, 31, 34, 49, 50, 56, 60, 62, 72, 73, 74, 79***

Boxer : Type de moteur aux cylindres opposés à plat ; ***56, 57, 58, 66***

Borrani : Fabricant de roues à rayons de grande qualité ; ***9, 15, 21, 24, 26, 47***

Cabriolet : Voiture de tourisme découvrable à deux ou quatre places, avec capote souple ; ***10, 12, 13, 14, 15, 22, 23, 28, 63, 70***

California : Ferrari de sport découvrable, commercialisée dans les pays aux cieux cléments ; ***16, 17, 24, 25, 39, 42, 43, 46***

cavallino rampante : Cheval cabré de l'emblème Ferrari ; ***60***

Châssis (numérotation) : La logique qui préside à la numérotation des châssis Ferrari nécessiterait presque une thèse, mais en résumé, les numéros impairs jusqu'à 75000 sont généralement attribués à des routières, comme les plupart des numéros pairs et impairs supérieurs à 75000. Les numéros pairs inférieurs à 2000 sont généralement réservés aux voitures de course. Les Dino 206, 246 et 308 GT4 2+2 font l'objet de leur propre série paire (1-15474).

Colombo, Gioachino : Concepteur des premiers V12 Ferrari, Alfa et Maserati 250F ; ***10, 11, 12, 13, 14, 20, 22, 24, 26, 28, 31, 34, 42***

Connolly : John et Samuel Connolly montèrent leur affaire d'articles en cuir en 1878. La firme réalisa l'aménagement intérieur du carrosse de couronnement d'Édouard VII. C'est aujourd'hui le principal fournisseur de cuir pour l'industrie automobile européenne ; ***49, 50, 52, 62, 74***

Coupé : Voiture deux-portes (et généralement deux-places) à carrosserie fermée ; *8, 10, 12, 13, 14, 15, 16, 22, 23, 26, 28, 29, 30, 42, 50, 63*

Coupé 2+2 : Coupé doté de deux places d'appoint à l'arrière ; *10, 26, 27, 32, 33, 42, 43, 46, 47, 50, 52, 53, 58, 59, 60, 62, 70, 76, 77*

Daytona : Cette ville de Floride se qualifie elle-même de « capitale mondiale de la vitesse ». Des records de vitesse y ont été établis, sur la plage et sur le magnifique circuit aux virages relevés ; *47, 48, 49, 50, 56, 58, 65*

Dino : Alfredino, fils aîné d'Enzo Ferrari, mort en 1956 à l'âge de 24 ans. Plusieurs modèles Ferrari portent son nom ; *44, 45, 58, 59*

GT : *Gran Turismo* (Grand Tourisme) ; *14, 15, 16, 17, 22, 23, 24, 25, 26, 30, 31, 32, 33, 34, 42, 44, 45, 46, 47, 59, 76, 77*

Lampredi, Aurelio : Ingénieur concepteur du « gros » V12 en 1949 ; *12, 13, 20, 21, 42, 66*

Le Mans : Circuit routier, hôte depuis 1923 de la célèbre épreuve des 24 Heures du Mans ; *24, 31, 34, 49, 66*

Maranello : Village proche de Modène, en Italie, où se situe l'usine Ferrari ; *8, 9, 16, 22, 24, 42, 71, 72*

Mille Miglia : Épreuve routière des Mille Miles, Brescia-Rome-Brescia, disputée pour la première fois en 1927 et pour la dernière en 1957 ; *8, 12, 14, 31*

Modène : Ville industrielle et foyer culturel d'Émilie-Romagne, dans le nord de l'Italie ; *8, 16, 24, 25, 31, 35, 41, 58, 66*

NACA : *Naturally Aspirated Cold Air.* Type de prise d'air destinée au refroidissement du moteur ; *57*

NART : *North American Racing Team.* Écurie créée par Luigi Chinetti (1901-1994), le meilleur commercial qu'ait connu Ferrari ; *22, 38, 39*

Nomenclature : En partant du principe qu'un Ferrari a 12 cylindres, nombre de noms de modèles (des numéros) font référence à la cylindrée unitaire (celle d'un seul cylindre) ; mentionnons ainsi les 166, 195, 212, 340, 342, 250, 410, 330, 275, 365, 400, 412 et 456. D'autres noms, tels que Dino 206, indiquent « 2 litres, 6 cylindres » ; de même, les 246, 308, 328, 348, 512 et 288. Font exception à ces règles les Mondial 8, 500 Superfast, F40, F50 et 355 (3,5 litres, 5 soupapes par cylindre).

Pininfarina : Carrossier turinois, firme ainsi baptisée du nom de son fondateur Pinin Farina ; le nom sera écrit en un seul mot à partir de 1958 ; *9, 22, 23, 24, 26, 28, 29, 31, 34, 42, 43, 44, 46, 49, 50, 52, 56, 58, 60, 62, 63, 64, 66, 71, 72, 74, 76, 79*

Scuderia Ferrari : L'écurie (de course) Ferrari, célèbre entre toutes, et à ce titre souvent appelée simplement « Scuderia » ; *6*

SEFAC : Societa per Azioni Esercizio Fabbriche Automobile e Corse, appellation officielle complète de Ferrari ; *10*

Spider : Voiture hippomobile américaine de la fin du XIXe siècle, le spider-phaéton était le véhicule idéal du gentleman-driver ; le mot spider (ou parfois spyder) désigne maintenant une automobile deux-places découverte, généralement plus sportive et spartiate qu'un cabriolet ; *10, 34, 38, 39, 44, 49, 60, 72, 73, 74, 75*

Targa Florio : Épreuve automobile sur route, disputée en Sicile (de 1906 à 1977), initialement organisée par Vincenzo Florio ; *8, 38*

Tour de France : Épreuve routière (de type rallye), disputée sur divers circuits de France ; *16, 17*

Weber : Carburateurs d'un caractère particulièrement sportif, produits à Bologne ; *9, 11, 14, 20, 21, 24, 26, 28, 30, 34, 43, 48, 50, 53, 56, 64*

Zincrox : Tôle d'acier, plaquée zinc sur un face pour éviter la corrosion ; *63, 66*